新　潮　文　庫

新潮ことばの扉

教科書で出会った
名作小説一〇〇

石原千秋 編著

新　潮　社　版

11743

目次

教科書採録度★★★★★

教科書採録度★★★★

教科書採録度★★★

教科書採録度★★

教科書採録度★

このアンソロジーは、一九五〇年代から二〇一〇年代までの、小学校、中学校、高等学校の国語教科書に収録された小説の中から一〇〇作品を選んだものです。教科書採録度を★で表し、5段階に分類しています。右ページに作品冒頭の四〇〇字程度を抜粋し、左ページに石原千秋氏による「読みのポイント」を付しました。

作品の選定にあたっては、『読んでおきたい名著案内　教科書掲載作品　小・中学校編』『読んでおきたい名著案内　教科書掲載作品13000』（日外アソシエーツ刊）をはじめ、各社刊行の国語教科書を資料として参照しました。

ルビは原典にあわせて振り、さらに難読と思われる漢字に補いました。

新潮文庫編集部

新潮ことばの扉

教科書で出会った名作小説一〇〇

教科書採録度

★★★★★

山月記

〜最後の授業

教科書採録度★★★★★

山月記

中島　敦

隴西《ろうさい》の李徴《りちょう》は博学才穎《さいえい》、天宝の末年、若くして名を虎榜《こぼう》に連ね、ついで江南尉《こうなんい》に補せられたが、性、狷介《けんかい》、自《みずか》ら恃《たの》むところ頗《すこぶ》る厚く、賤吏《せんり》に甘んずるを潔《いさぎよ》しとしなかった。いくばくもなく官を退いた後は、故山《こざん》、虢略《かくりゃく》に帰臥《きが》し、人と交《まじわり》を絶って、ひたすら詩作に耽《ふけ》った。下吏となって長く膝《ひざ》を俗悪な大官の前に屈するよりは、詩家としての名を死後百年に遺《のこ》そうとしたのである。しかし、文名は容易に揚らず、生活は日を逐《お》うて苦しくなる。李徴は漸《ようや》く焦躁《しょうそう》に駆られて来た。この頃《ころ》からその容貌《ようぼう》も峭刻《しょうこく》となり、肉落ち骨秀《ひい》で、眼光のみ徒《いたず》らに炯々《けいけい》として、曾《かつ》て進士に登第《とうだい》した頃の豊頬《ほうきょう》の美少年の俤《おもかげ》は、何処《どこ》に求めようもない。数年の後、貧窮に堪《た》えず、妻子の衣食のために遂《つい》に節を屈して、再び東へ赴き、一地方官吏の職を奉ずることになった。一方、これは、己《おのれ》の詩業に半ば絶望したためでもある。曾ての同輩は既に遥《はる》か高位に進み、彼が昔、鈍物として歯牙《しが》にもかけなかったその連中の下命を拝さねばならぬことが、……

読みのポイント

いまでは読むのに言葉の注釈がたくさん必要だが、それでもほぼどんな高校でも授業が成り立つ最強の定番教材だ。高校二年生で学習するのが一般的で、三年間の真ん中の学年という難しい時期に、反抗期が重なった気むずかしい生徒たちが食い付いてくるのだと言う。自分には大きすぎる自尊心をもてあました生徒たちには、李徴が「わかる」のだろう。

人が虎《とら》になる話である。日本に虎はいないが、『山月記』は虎のイメージが支えている。だからよく教科書の「学習」で問われるのは、李徴の「臆病《おくびょう》な自尊心と、尊大な羞恥心《しゅうちしん》」である。この一見すると形容矛盾のあるフレイズもこの小説を支えている。でも、高校二年生には説明抜きで「わかる」のではないだろうか。人に知られるには自尊心はあまりにみすぼらしく、しかし、それを隠し通すには羞恥心はあまりに貧弱だ。それが反抗期の形なのだが、問題はいま多くの若者から反抗期が失われていることである。反抗期が『山月記』の最大の理解者だとすれば、『山月記』が「わからなくなった」ときは、日本から「青年」がいなくなるときだろう。

なかじま・あつし
(一九〇九〜一九四二)
東京生れ。東京帝大国文科卒。横浜高女で教壇に立つ。持病の喘息《ぜんそく》と闘いながら習作を重ね、一九三四年、「虎狩《とらがり》」が雑誌の選外佳作に入る。ほかの作品に「弟子」「李陵」など。

続きを読むには……

『李陵・山月記』(新潮文庫)など。

教科書採録度★★★★★

羅生門

芥川龍之介

或日《あるひ》の暮方の事である。一人の下人《げにん》が、羅生門《らしょうもん》の下で雨やみを待っていた。

広い門の下には、この男の外に誰もいない。唯《ただ》、所々丹塗《にぬり》の剝《は》げた、大きな円柱《まるばしら》に、蟋蟀《きりぎりす》が一匹とまっている。羅生門が、朱雀大路《すざくおおじ》にある以上は、この男の外にも、雨やみをする市女笠《いちめがさ》や揉烏帽子《もみえぼし》が、もう二三人はありそうなものである。それが、この男の外には誰もいない。

何故《なぜ》かと云《い》うと、この二三年、京都には、地震とか辻風《つじかぜ》とか火事とか饑饉《ききん》とか云う災がつづいて起った。そこで洛中《らくちゅう》のさびれ方は一通りではない。旧記によると、仏像や仏具を打砕いて、その丹《に》がついたり、金銀の箔《はく》がついたりした木を、路《みち》ばたにつみ重ねて、薪《たきぎ》の料《しろ》に売っていたと云う事である。洛中がその始末であるから、羅生門の修理《しゅり》などは、元より誰も捨てて顧《かえりみ》る者がなかった。するとその荒れ果てたのをよい事にして、狐狸《こり》が棲《す》む。盗人《ぬすびと》が棲む。とうとうしまいには、……

読みのポイント

『羅生門』はかつてすべての『国語総合』（高校一年生用の教科書）に収録されていた。まさに国民文学である。ところが、この小説の読み方が難しい。

主人公の若者は、京都の町で下人をクビになって羅生門に来てまた強盗を働きに京都へ戻っていくのか（洛中帰還説）、どこかから羅生門にやってきて京都へ強盗を働きに行くのか（下人お上りさん説）、それさえ決められないのだ。若者自身が老婆《ろうば》に「旅の者だ」と言っているが（下人お上りさん説）、それにしては若者は羅生門がどういう場所だかをよく知っている（洛中帰還説）。

語り手も不安定だ。「殊《こと》に門の上の空が、夕焼けであかくなる時には」と語るとき、語り手は真南を向いた羅生門の東遠くに位置しているはずだ。しかし、語り手は京都の町に詳しい。『羅生門』の最後は「下人は、既に、雨を冒して、京都の町へ強盗を働きに急ぎつゝあった」から、「下人の行方は、誰も知らない」に書き換えられた。若者は語り手からも姿を消したのだ。はてさて、『羅生門』はいったいどういう物語なのだろうか。

あくたがわ・りゅうのすけ（一八九二〜一九二七）東京生れ。東京帝大英文科卒。在学中から創作を始め、短篇「鼻」が夏目漱石の激賞を受ける。その後も次々と作品を発表し、大正文壇の寵児《ちょうじ》となる。ほかの作品に「蜘蛛《くも》の糸」「地獄変」など。

続きを読むには……

『羅生門・鼻』（新潮文庫）など。

教科書採録度 ★★★★★

こころ

夏目漱石

私《わたくし》はその人を常に先生と呼んでいた。だから此所《ここ》でもただ先生と書くだけで本名は打ち明けない。これは世間を憚《はば》かる遠慮というよりも、その方が私に取って自然だからである。私はその人の記憶を呼び起すごとに、すぐ「先生」と云《い》いたくなる。筆を執っても心持は同じ事である。余所々々《よそよそ》しい頭文字《かしらもじ》などはとても使う気にならない。

私が先生と知り合になったのは鎌倉《かまくら》である。その時私はまだ若々しい書生であった。暑中休暇を利用して海水浴に行った友達から是非来いという端書《はがき》を受取ったので、私は多少の金を工面して、出掛る事にした。私は金の工面に二三日《にさんち》を費やした。ところが私が鎌倉に着いて三日と経《た》たないうちに、私を呼び寄せた友達は、急に国元から帰れという電報を受け取った。電報には母が病気だからと断ってあったけれども友達はそれを信じなかった。友達はかねてから国元にいる親達に勧まない結婚を強いられていた。彼は現代の習慣からいうと結婚するにはあまり年が若過ぎた。……

読みのポイント

漱石文学は、対照的な性格の二人を組み合わせた「二人で一人」という設定が多い。特に後期三部作がそうで、『彼岸過迄《ひがんすぎまで》』は須永《すなが》市蔵に田川敬太郎、『行人《こうじん》』は長野一郎に長野二郎、『こころ』は「先生」に青年という具合だ。前者は「近代知識人の苦悩」を味わうことになっていた。やがて、後者の魅力が発見されるようになった。『こころ』なら青年。

この書き出しは「世間を憚かる遠慮」とあるのだから、いま青年はこの「手記」を、「先生」の遺書を付して公表するつもりで書いていることがわかる。「先生」が遺書の最後でそれを禁じていたのに、青年は禁止を破って遺書を公表しようとしている？　しかし、「先生」は「他《ひと》の参考に供する積りです」とも書いていた。青年は「余所々々しい頭文字」と書いているが、親友をKという「余所々々しい頭文字」で書いたのは誰だったか。そう、「先生」その人だった。青年は「先生」を批判している？

危篤《きとく》の父親を置いて汽車に飛び乗った青年がこの「手記」を書くまでの時間に青年の物語があった。つまり、そこに文学があった。

なつめ・そうせき
（一八六七〜一九一六）東京生れ。東京帝大英文科卒。松山中学、五高等で英語を教え、英国に留学。帰国後、一高、東大で教鞭《きょうべん》をとる。一九〇五年、「吾輩《わがはい》は猫である」を発表し大評判となる。ほかの作品に「三四郎」「それから」など。

続きを読むには……

『こころ』（新潮文庫）など。

教科書採録度★★★★★

舞姫

森鷗外

石炭をば早や積み果てつ。中等室の卓《つくゑ》のほとりはいと静にて、熾熱燈《しねつとう》の光の晴れがましきも徒《いたづら》なり。今宵《こよひ》は夜毎《よごと》にここに集ひ来る骨牌《カルタ》仲間も「ホテル」に宿りて、舟に残れるは余一人のみなれば。五年前《いつとせまへ》の事なりしが、平生《ひごろ》の望足りて、洋行の官命を蒙《かうむ》り、このセイゴンの港まで来し頃は、目に見るもの、耳に聞くもの、一つとして新らぬはなく、筆に任せて書き記しつる紀行文日ごとに幾千言をかなしけむ、当時の新聞に載せられて、世の人にもてはやされしかど、今日になりておもへば、穉《をさな》き思想、身の程知らぬ放言、さらぬも尋常《よのつね》の動植金石、さては風俗抔《など》をさへ珍しげにしるししを、心ある人はいかにか見けむ。こたびは途に上りしとき、日記《にき》ものせむとて買ひし冊子もまだ白紙のままなるは、独逸《ドイツ》にて物学びせし間に、一種の「ニル、アドミラリイ」の気象をや養ひ得たりけむ、あらず、これには別に故《ゆゑ》あり。

げに東《ひんがし》に還《かへ》る今の我は、西に航せし昔の我ならず、……

読みのポイント

太田《おおた》豊太《とよた》郎《ろう》が、帰朝する船の船室にこもって書いた手記の体裁を採っている。個人主義の思想が「孤独」という心や、「ひとり」という形になったときに近代文学がはじまったとすれば、『舞姫』はまさに近代文学の祖と言っていい。

幼いときから立身出世を義務づけられて官僚機構の中でもそれなりの地位を占めた豊太郎が、ベルリンの自由な空気に触れ、舞姫・エリスと恋に落ちることで近代的自我に目覚めたと、昔は習ったものだ。エリスのモデルはドイツ人女性だが、『舞姫』では、住む場所、言葉の訛《なまり》、父親の職業などからユダヤ人と読めるように設定されているようだ。日本人留学生とユダヤ人女性というマイノリティー同士のささやかで秘めやかな恋の物語である。

豊太郎の自我ははじめベルリンを遠近法で見わたす奥行きを持つが、天方《あまがた》大臣の帰国の命を受け入れて妊娠しているエリスを捨てることになって帰宅する時には、街はまるで迷路になる。彼の自我は壊れたのだ。その豊太郎をいま支えているのが、親友・相沢謙吉を「憎むこころ」だけだとすれば、それこそが悲しい物語である。

もり・おうがい

（一八六二〜一九二二）石見国《いわみのくに》（現在の島根県）生れ。東京帝大医学部卒業後、陸軍軍医に。ドイツ留学から帰国し、ドイツ女性との悲恋の経験をもとに「舞姫」を執筆。ほかの作品に「青年」「キタ・セクスアリス」など。

続きを読むには……

『阿部一族・舞姫』（新潮文庫）など。

教科書採録度★★★★★

走れメロス

太宰 治

メロスは激怒した。必ず、かの邪智《じゃち》暴虐《ぼうぎゃく》の王を除かなければならぬと決意した。メロスには政治がわからぬ。メロスは、村の牧人である。笛を吹き、羊と遊んで暮して来た。けれども邪悪に対しては、人一倍に敏感であった。きょう未明メロスは村を出発し、野を越え山越え、十里はなれた此《こ》のシラクスの市にやって来た。メロスには父も、母も無い。女房も無い。十六の、内気な妹と二人暮しだ。この妹は、村の或《あ》る律《りち》気《ぎ》な一牧人を、近々、花婿《はなむこ》として迎える事になっていた。結婚式も間近かなのである。メロスは、それゆえ、花嫁の衣裳《いしょう》やら祝宴の御馳走《ごちそう》やらを買いに、はるばる市にやって来たのだ。先ず、その品々を買い集め、それから都の大路をぶらぶら歩いた。メロスには竹馬の友があった。セリヌンティウスである。今は此のシラクスの市で、石工をしている。その友を、これから訪ねてみるつもりなのだ。久しく逢《あ》わなかったのだから、訪ねて行くのが楽しみである。歩いているうちにメロスは、……

読みのポイント

メロスが王と約束した時間に間に合うことは、読者にははじめからわかっている。そうでなければ、この小説は面白くはない。結末がはじめからわかっているのに面白く読めるのは、『走れメロス』が通俗小説だからだ。通俗小説の多くは、たとえば「誠実」というようなありきたりな道徳を説く。辛気くさいはずなのに、それがどうして面白いのだろう。

それは、私たちがメロスを一瞬でも疑うからだ。疲れ果てたメロスは、チラリと思う。「正義だの、信実だの、愛だの、考えてみれば、くだらない。（中略）私は、醜い裏切り者だ。どうとも、勝手にするがよい」と。つまり、メロスの人間不信に共感し、より深く彼を疑うことがこの小説の結末を面白く読ませるのだ。

小説と現実や人生を混同してはならない。この小説を現実や人生につなげるなら、「信頼」や「信実」だけが大切だという教訓になるだろう。しかし、この小説を文学として楽しむなら、メロスを深く疑うことが求められる。だから、結末が美しい。もしかしたら、それは人生を豊かに生きるために大切なことかもしれない。

だざい・おさむ
（一九〇九～一九四八）
青森県生れ。東京帝大仏文科中退。一九三五年、「逆行」が第一回芥川賞の次席となり、翌年、第一創作集『晩年』を刊行。ほかの作品に「斜陽」「人間失格」など。

続きを読むには……
『走れメロス』（新潮文庫）など。

教科書採録度★★★★★

故郷

魯迅　藤井省三 訳

　僕は厳しい寒さのなか、二千里も遠く、二十年も離れていた故郷へと帰っていく。季節はもう真冬で、故郷へと近づくにつれ、空もどんよりと曇り、寒風が船内に吹き込み、ヒューヒューと音を立てるので、苫《とま》の隙間から外を見ると、どんよりとした空の下、遠近《おちこち》にわびしい集落が幾つか広がっており、まったく生気がない。僕は心の内の悲しみに耐えねばならなかった。

　ああ、これは僕が二十年来思い続けてきた故郷ではないだろう。

　僕が覚えている故郷とは、こんなものではなかった。僕の故郷は遥かに美しかった。しかしその美しさを思い出し、その良さを語ろうとすると、その面影は消え、言葉も浮かばない。やはりこんなものなのか。そこで僕は自分に言い聞かせることにした。故郷とは本来こんなものなのだ——進歩もないが、さりとて僕が感じているように悲しいとも限らず、悲しいのは僕が心変わりしたからなのであり、……

読みのポイント

魯迅は、清《しん》朝が終焉《しゅうえん》を迎える中国の混乱期を生きた知識人だった。二〇代には七年ほど日本へ留学して仙台と東京で過ごし、急速に近代化する時期の日本を身をもって体験した。仙台時代の魯迅をモデルにした太宰治『惜別』は有名。『故郷』は中学国語の定番教材の一つと言っていいが、そうなると研究も盛んになって、批判にさらされるようにもなる。

ふつうは、名をなした「僕」が、落ちぶれた実家を始末するために故郷に帰ったが、身分違いの幼馴染《おさななじ》みの閏土《ルントウ》に「旦那様」と呼びかけられた衝撃から、二人を隔てた時間は取り戻せないことを悟り、新しい時代が来ることを願う物語として読まれるのだろう。これはまちがっているとまでは言えない。しかし、語り手の「僕」には厳しい批判もある（千田《ちだ》洋幸《ひろゆき》）。彼自身が再会した閏土にまともに言葉をかけておらず心をとざしているのではないかと言われればそうだし、最後は閏土のような生き方を望まないという閏土の否定なのだ。問題は、こういう「僕」をこの小説『故郷』がどう書いているかという判断にある。たとえ一人称でも、そこまでが小説だ。

ろじん
（一八八一〜一九三六）
中国の作家。浙江省《せっこうしょう》出身。医学を志して日本に留学したが、文学に転じた。ほかの作品に「狂人日記」「阿Q正伝」など。

続きを読むには……
『故郷／阿Q正伝』（光文社古典新訳文庫）など。

教科書採録度★★★★★

ごんぎつね

新美南吉

これは、私が小さいときに、村の茂平《もへい》というおじいさんからきいたお話です。

昔は、私たちの村の近くの、中山というところに小さなお城があって、中山さまというおとのさまが、おられたそうです。

その中山から、すこしはなれた山の中に、「ごんぎつね」というきつねがいました。ごんは、一人ぼっちの子ぎつねで、しだのいっぱいしげった森の中に、穴を掘って住んでいました。そして、夜でも昼でも、あたりの村へ出てきて、いたずらばかりしました。はたけへ入っていもを掘りちらしたり、菜種《なたね》がらの、ほしてあるのへ火をつけたり、百姓家《ひゃくしょうや》の裏手につるしてあるとんがらしをむしりとって、いったり、いろんなことをしました。

ある秋のことでした。二、三日雨がふりつづいたその間、ごんは、外へも出られなくて穴の中にしゃがんでいました。……

読みのポイント

『ごんぎつね』は新美南吉が小学校の代用教員だった一八歳の時に執筆し、鈴木三重吉《みえきち》が主宰する日本で最初の本格的児童雑誌『赤い鳥』に掲載された作品である。その後、結核のために二九歳の若さで亡《な》くなっている。この『ごんぎつね』は小学校国語の定番教材。特に低学年用の教科書には動物の話が多い。動物ならば子どもが感情移入しやすいと思われているからで、多くは動物が擬人化されている。『ごんぎつね』はその最たるものだ。

悪戯《いらずら》をした狐《きつね》が、それを償う話である。新美南吉が投稿した作品「権狐」に鈴木三重吉が手を入れていまの形になったという（かつおきんや）。最後の場面が大きくちがっている。「権狐」では火縄銃で撃たれたごんは「ぐったりなったまま、うれしくなりました」とあるが、これを三重吉は「ぐったりと目をつぶったまま、うなずきました」に変えた。悲劇の度合いが高められているのである。実は、教科書に収録される小説は短い分量で感動させなければならないから、人や動物が死ぬ話が多くなる傾向がある。ごんが「うれしく」なっては困るのである。それこそ、困った話だ。

にいみ・なんきち（一九一三〜一九四三）

愛知県生れ。東京外国語学校英語部文科卒。北原白秋の門下で童謡誌「チチノキ」の同人に。鈴木三重吉の「赤い鳥」に童話を発表する。ほかの作品に「手袋を買いに」「おじいさんのランプ」など。

続きを読むには……

『ごんぎつね・てぶくろを買いに』（角川つばさ文庫）など。

教科書採録度 ★★★★★

たけくらべ

樋口一葉

廻れば大門《おほもん》の見返り柳いと長けれど、お歯ぐろ溝《どぶ》に燈火《ともしび》うつる三階の騒ぎも手に取る如く、明けくれなしの車の行来《ゆきき》にはかり知られぬ全盛をうらなひて、大音寺前《だいおんじまへ》と名は仏くさけれど、さりとは陽気の町と住みたる人の申き、三嶋神社《みしまさま》の角をまがりてよりこれぞと見ゆる大厦《いゑ》もなく、かたぶく軒端《のきば》の十軒長屋二十軒長や、商ひはかつふつ利《き》かぬ処《ところ》とて半《なかば》さしたる雨戸の外に、あやしき形《なり》に紙を切りなして、胡粉《ごふん》ぬりくり彩色《さいしき》のある田楽みるやう、裏にはりたる串《くし》のさまもをかし、一軒ならず二軒ならず、朝日に干して夕日にしまふ手当ことごとしく、一家内これにかかりてそれは何ぞと問ふに、知らずや霜月酉《しもつきとり》の日例の神社に欲深様《よくふかさま》のかつぎ給《たま》ふこれぞ熊手の下ごしらへといふ、正月門松とりすつるよりかかりて、一年うち通しのそれは誠の商買人、片手わざにも夏より手足を色どりて、新年着《はるぎ》の支度もこれをば当てぞかし、南無《なむ》や大鳥大明神《おほとりだいめうじん》、買ふ人にさへ大福をあたへ給へば製造もとの我等万倍の利益をと人ごとに……

読みのポイント

明治二九年に二五歳で夭折《ようせつ》した一葉が小説を書いたのは女戸主として家族を養うためで、亡くなる一年ほど前の間に集中している。「奇跡の一年」。女性作家は「閨秀《けいしゅう》作家」と呼ばれて大流行で、女性作家になりすました男性さえいたと言う。

少年・少女時代や青年期というライフステージの一般化は、学校制度の整備抜きには考えられない。『たけくらべ』には古い町で近代システムである公立/私立の小学校へ通う子供たちの抗争があるが、これを「子供たちの時間」と呼ぶ研究者もいる（前田愛）。夏祭りの日の抗争では、美登利《みどり》は「女郎め」と罵《ののし》られ、「此方《こち》には龍《りう》華寺《げじ》の藤本がついてゐるぞ」と言われる。子供たちが美登利の将来をすでに知っている証《あかし》だが、美登利は自分が僧侶《そうりょ》になる身の藤本信《しん》如《にょ》に想《おも》いを寄せていること、そしてそれが叶《かな》わぬことに同時に気づいてしまうのだ。『ロミオとジュリエット』みたいに。

美登利が一時行方不明になる時間帯がある。初店説（はじめて客を取ること）や初検査説（性病の検査）などがあり、定説はまだない。これは決められない方が美登利像に奥行きが出ると思う。

ひぐち・いちよう
（一八七二〜一八九六）
東京生れ。一八八六年、中島歌子の萩《はぎ》の舎《や》塾に入門。父の死で一家を担《にな》うことになり、小説で生計を得ることを志す。一八九一年、半井桃水《なからいとうすい》に師事。ほかの作品に「にごりえ」「十三夜」など。

続きを読むには……

『にごりえ・たけくらべ』（新潮文庫）など。

教科書採録度★★★★★

山椒大夫

森鷗外

越後《えちご》の春日《かすが》を経て今津《いまづ》へ出る道を、珍らしい旅人の一群《ひとむれ》が歩いている。母は三十歳を踰《こ》えたばかりの女で、二人の子供を連れている。姉は十四、弟は十二である。それに四十位の女中が一人附いて、草臥《くたび》れた同胞《はらから》二人を、「もうじきにお宿にお著《つき》なさいます」と云《い》って励まして歩かせようとする。二人の中で、姉娘は足を引き摩《ず》るようにして歩いているが、それでも気が勝っていて、疲れたのを母や弟に知らせまいとして、折々思い出したように弾力のある歩附《あるきつき》をして見せる。近い道を物詣《ものまいり》にでも歩くのなら、ふさわしくも見えそうな一群であるが、笠《かさ》やら杖《つえ》やら甲斐《かいがい》々《》しい出立《いでたち》をしているのが、誰《たれ》の目にも珍らしく、又気の毒に感ぜられるのである。

道は百姓家の断《た》えたり続いたりする間を通っている。砂や小石は多いが、秋日和《あきびより》に好《よ》く乾いて、しかも粘土が雑《まじ》っているために、好く固まっていて、海の傍《そば》のように踝《くるぶし》を埋《うず》めて人を悩ますことはない。……

『山椒大夫《さんしょうだゆう》』は、人買いにさらわれた厨子王《ずしおう》が母と再会するまでの物語である。これが大きな意味を持つ。

読みのポイント

『山椒大夫』は、研究者の間では毀誉褒貶《きよほうへん》の激しい小説なのだ。中世の説教節を典拠としながら、森鷗外自身が「歴史其儘《そのまま》と歴史離れ」で触れたために、評価が難しくなってしまった面もある。典拠とした「さんせう太夫」が持っていた権力空間の力学をすっかり切り捨てて、近代的な語りものにしたという批判がある（岩崎武夫《たけお》）。一方、『山椒大夫』は「父に会いに行く話から母に会いに行く話」へと変更され、さらに厨子王が「丹後一国で人の売買を禁じた」ことを、鷗外が「奴隷解放問題」と言っているのは、「帝国公道会」という差別撤廃運動を意識したもので、これは近代の語りでなければなしえなかったという評価もある（高橋広満《ひろみつ》）。

この本で注目したいのは『山椒大夫』が「母に会いに行く話」に変更されている事実だ。国語教科書では父の影は薄く、母が強調される強い傾向を持つ。だから定番教材になったのだろう。「岸壁の母」に象徴される「待つ母」は、近代の伝統かもしれない。

もり・おうがい
23頁参照。

続きを読むには……

『山椒大夫・高瀬舟』（新潮文庫）など。

教科書採録度 ★★★★★

富嶽百景

太宰 治

富士の頂角、広重《ひろしげ》の富士は八十五度、文晁《ぶんちょう》の富士も八十四度くらい、けれども、陸軍の実測図によって東西及南北に断面図を作ってみると、東西縦断は頂角、百二十四度となり、南北は百十七度である。広重、文晁に限らず、たいていの絵の富士は、鋭角である。いただきが、細く、高く、華奢《きゃしゃ》である。北斎にいたっては、その頂角、ほとんど三十度くらい、エッフェル鉄塔のような富士をさえ描いている。けれども、実際の富士は、鈍角も鈍角、のろくさと拡《ひろ》がり、東西、百二十四度、南北は百十七度、決して、秀抜の、すらと高い山ではない。たとえば私が、印度かどこかの国から、突然、鷲《わし》にさらわれ、すとんと日本の沼津あたりの海岸に落されて、ふと、この山を見つけても、そんなに驚嘆しないだろう。ニッポンのフジヤマを、あらかじめ憧《あこが》れているからこそ、ワンダフルなのであって、そうでなくて、そのような俗な宣伝を、一さい知らず、素朴な、純粋の、うつろな心に、果して、どれだけ訴え得るか、……

読みのポイント

「富士には、月見草がよく似合う」の一句で有名だ。「井伏鱒二《いぶせますじ》」という太宰がもっとも世話になり迷惑もかけた作家の名前も出て来る。この掌篇は太宰が井伏の世話で結婚話がまとまるまでを、様々な富士山の姿と重ね合わせながら書いたものだ。太宰が作家としてもっとも安定していた時期の作品という知識なしにはわからないところもあるが、その明るさはよくわかる。

小説はそれなりの構成を持っている。はじめは間近に見た富士山を「風呂《ふろ》屋のペンキ画だ」とか「芝居の書割だ」とか悪《あ》し様《ざま》に言うが、それが「富士には、月見草がよく似合う」となるわけだ。それには、宿の「娘さん」などの「私」から見たら純朴に見える人たちが「月見草」に重ねられていくまでのプロセスがある。また、「娘さん」が「私」の仕事ぶりを喜びをもって見守っていたり、一人で留守を守る「娘さん」が「私」を性的な対象として怖《おそ》れたりと、この「娘さん」は終盤に登場する許嫁《いいなずけ》の未来の姿として位置づけられている。最後に、二人の若い女性にシャッターを切ってくれと頼まれたときのユーモラスなオチは気が利《き》いている。

だざい・おさむ
25頁参照。

続きを読むには……

『走れメロス』（新潮文庫）など。

教科書採録度★★★★★

トロッコ

芥川龍之介

小田原熱海《あたみ》間に、軽便鉄道敷設《ふせつ》の工事が始まったのは、良平《りょうへい》の八つの年だった。良平は毎日村外《はず》れへ、その工事を見物に行った。工事を——といったところが、唯《ただ》トロッコで土を運搬する——それが面白さに見に行ったのである。

トロッコの上には土工が二人、土を積んだ後《うしろ》に佇《たたず》んでいる。トロッコは山を下《くだ》るのだから、人手を借りずに走って来る。煽《あお》るように車台が動いたり、土工の袢天《はんてん》の裾《すそ》がひらついたり、細い線路がしなったり——良平はそんなけしきを眺《なが》めながら、土工になりたいと思う事がある。せめては一度でも土工と一しょに、トロッコへ乗りたいと思う事もある。トロッコは村外れの平地へ来ると、自然と其処《そこ》に止まってしまう。と同時に土工たちは、身軽にトロッコを飛び降りるが早いか、その線路の終点へ車の土をぶちまける。それから今度はトロッコを押し押し、もと来た山の方へ登り始める。良平はその時乗れないまでも、押す事さえ出来たらと思うのである。……

あくたがわ・りゅうのすけ
19頁参照。

続きを読むには……
『蜘蛛の糸・杜子春』（新潮文庫）など。

読みのポイント

人は誰しも原風景というようなものを心のどこかに仕舞い込んでいるものだろう。もしかしたら周囲の人の話が入り込んでいたり記憶が修正されたりして、ホントのことではないかもしれない。それでも、それはとても大切なものだ。

「軽便鉄道」は、財政的なゆとりがないまま近代化を急いだ日本が考え出した狭い軌道の汽車で（有名な「坊っちゃん列車」がこれだ）、「トロッコ」はそのレールの上を走る運搬用の手押し車である。トロッコを押してどこまでも行った良平には、「これで大人の仲間入りをした」というような、誇らしい気持ちもあったにちがいない。

友達三人とこっそりトロッコを押したときには叱《しか》られてしまう。その冒頭のエピソードの後、「しかしその記憶さえも、年毎《としごと》に色彩は薄れるらしい」という語り手の言葉が入る。これは、ここで話の水準が切り替わりますよというサインだろう。トロッコを押す話は、もしかすると「夢」なのだ。心細くても未知の世界へ行くことができた少年の心を、良平は大切に思いだす。「塵労《じんろう》に疲れた」いまとなっては、あの過去がホントの自分だとでもいうように。

教科書採録度★★★★★

あいびき

ツルゲーネフ　二葉亭四迷 訳

　秋九月中旬《なかば》というころ、一日《あるひ》自分がさる樺《かば》の林の中に座していたことが有ッた。今朝から小雨《こさめ》が降りそそぎ、その晴れ間にはおりおり生《な》ま煖《あたた》かな日かげも射して、まことに気まぐれな空《そ》ら合い。あわあわしい白《し》ら雲が空ら一面に棚引《たなび》くかと思うと、フトまたあちこち瞬《また》く間雲切れがして、無理に押し分けたような雲間から澄みて怜悧《さか》し気に見える人の眼の如くに朗かに晴れた蒼空《あおそら》がのぞかれた。自分は座して、四顧して、そして耳を傾けていた。木の葉が頭上で幽《かす》かに戦《そよ》いだが、その音を聞《きい》たばかりでも季節は知られた。それは春先する、面白そうな、笑うようなさざめきでもなく、夏のゆるやかなそよぎでもなく、永たらしい話し声でもなく、また末の秋のおどおどした、うそさぶそうなお饒舌《しゃべ》りでもなかッたが、只漸《ようや》く聞取れるか聞取れぬ程のしめやかな私語の声で有った。そよ吹く風は忍ぶように木末《こずえ》を伝ッた。照ると曇るとで、雨にじめつく林の中のようすが間断なく移り変ッた。……

読みのポイント

かつては定番教材のように、二葉亭四迷訳が国語教科書に収録されていたものだ。いまは文章の内容を読むことが国語教育だと思われているし、実際ほぼそのように実践されている。しかし、戦前の中等教育の国語教科書にその色彩が濃いように、戦後でもある時期までの国語教科書は、文体の見本のような役割も果たしていた。『あいびき』はその端的な例だった。

『猟人日記』のほんの一部である『あいびき』の二葉亭四迷訳は、明治期の文学者に大きな影響を与えた。国木田独歩『武蔵野《むさしの》』における「郊外の発見」はその一例にすぎない。「散歩」という風景の楽しみ方、すなわち風景の消費の仕方を教えたのだ。また「散歩」の途中に見かけた道ならぬ恋（？）の逢《あ》い引きは、恋人たちも風景の一部にしてしまった。この趣向は独歩の『忘れえぬ人々』に生かされている。さらには、語り手という装置をまだ手に入れていなかった明治期の文学に、「立ち聞き」という方法で人の秘密を書く独特の方法を教えたのもこの『あいびき』だった（渡部直己《わたなべなおみ》）。近代文学の文体を作った見本として収録されていたのである。

ツルゲーネフ　イワン・セルゲーヴィチ
（一八一八～一八八三）
ロシアの作家。モスクワ大学、ペテルブルグ大学に学び、ベルリンに留学。一八四三年に発表した長詩「パラーシャ」が激賞され、農奴体制下の農民の生活を描いた短篇集『猟人日記』で不動の名声を得る。ほかの作品に「父と子」「はつ恋」など。

続きを読むには……

『あいびき・めぐりあい』（新潮文庫）など。

教科書採録度 ★★★★★

三四郎

夏目漱石

うとうととして眼が覚めると女は何時《いつ》の間にか、隣の爺《じい》さんと話を始めている。この爺さんは慥《たし》かに前の前の駅から乗った田舎者である。発車間際《まぎわ》に頓狂《とんきょう》な声を出して、馳《か》け込んで来て、いきなり肌を抜いだと思ったら脊中《せなか》に御灸《おきゅう》の痕《あと》が一杯あったので、三四郎の記憶に残っている。爺さんが汗を拭《ふ》いて、肌を入れて、女の隣りに腰を懸けたまでよく注意して見ていた位である。

女とは京都からの相乗である。乗った時から三四郎の眼に着いた。第一色が黒い。三四郎は九州から山陽線に移って、段々京大阪へ近付いてくるうちに、女の色が次第に白くなるので何時の間にか故郷を遠退《とおの》く様な憐《あわ》れを感じていた。それでこの女が車室に這入《はい》って来た時は、何となく異性の味方を得た心持がした。この女の色は実際九州色であった。

三輪田《みわた》の御光《おみつ》さんと同じ色である。国を立つ間際までは、お光さんは、……

読みのポイント

平塚雷鳥に代表される「新しい女」の先駆のように見られることがある里見美禰子《みねこ》。彼女にこそ物語があったのではないだろうか。『三四郎』には、裏側に「美禰子物語」が用意されていたかもしれない。漱石文学は、裏の物語が面白い。

三四郎が上京してきたとき、美禰子と野々宮には、結婚をめぐってボタンの掛け違いが起きていたようだ。東大構内の池の端《はた》で三四郎とすれ違ったとき、美禰子はその直前に野々宮と会っていたらしいことを、東大構内図を使って明らかにした研究者がいる（重松泰《しげまつやす》雄《お》）。どうやら、美禰子は三四郎を挑発したのではなく、それを後ろで見ている野々宮を挑発したようだ。それでは、三四郎は利用されただけなのだろうか。そう、だから美禰子は、三四郎に言うではないか。「われは我が愆《とが》を知る。我が罪は常に我が前にあり」と。

美禰子はなぜそんなに必死だったのかも、明らかにされている（小森陽一）。兄が結婚するからだ。そうなれば、「小姑《こじゅうと》」にならざるを得ない。だから、最後に突然のように結婚する。美禰子には、当時の女性が置かれた社会的な地位が映し出されている。

なつめ・そうせき
21頁参照。

続きを読むには……

『三四郎』（新潮文庫）など。

教科書採録度★★★★★

屋根の上のサワン

井伏鱒二

おそらく気まぐれな狩猟家か悪戯《いたずら》ずきな鉄砲うちかが狙《ねら》い撃ちにしたものに違いありません。わたしは沼池の岸で一羽のがんが苦しんでいるのを見つけました。がんはその左の翼を自らの血潮でうるおし、満足な右の翼だけを空《むな》しく羽ばたきさせて、青草の密生した湿地で悲鳴をあげていたのです。

わたしは足音を忍ばせながら傷ついたがんに近づいて、それを両手に拾いあげました。そこで、この一羽の渡り鳥の羽毛や体の温かみはわたしの両手に伝わり、この鳥の意外に重たい目方は、そのときのわたしの思い屈した心を慰めてくれました。わたしはどうしてもこの鳥を丈夫にしてやろうと決心して、それを両手に抱えて家へ持って帰りました。そして部屋の雨戸を閉めきって、五燭《しょく》の電気の光の下でこの鳥の傷の治療にとりかかりました。

けれどがんという鳥は、ほの暗いところでも目が見えるので、……

読みのポイント

東京の端っこにある田舎町の中学校でこの小説を読んだ。「おそらく気まぐれな狩猟家か悪戯ずきな鉄砲うちかが狙い撃ちにしたものに違いありません」という文でいきなりはじまるのはなぜかと、先生は質問した。級友は「サワンを撃ったのは悪い奴《やつ》だと憤慨しているからだと思います」と答えて、「その通り」と褒められた。あとは、「わたし」とサワンとの心温まる交流とサワンの自立と、「わたし」の別れの決意とあっけない別れという物語の流れをおさえただけだった。「教師用のあんちょこがそうなっているんだろうなあ」とぼんやり感じたことまで覚えている。

しかし羽を切られたサワンが飛べるはずもなく、これは「かぐや姫型」のファンタジーではないだろうか。「かぐや姫型」とは、異世界のものがこの世界へやって来て、また異世界へ帰っていく物語。映画『E．T．』がこれだ。井伏鱒二は生きものに関するファンタジーをいくつか書いているし、「くったくした気持」は井伏の重要なモチーフだとも指摘されている（東郷克美《かつみ》）。サワンは「くったく」が「わたし」に見せた幻だったのではないだろうか。

いぶせ・ますじ
（一八九八～一九九三）
広島県生れ。長兄のすすめで文学を志し、早大予科に進む。一九二九年、「山椒魚《さんしょううお》」等で文壇に登場。一九三八年「ジョン万次郎漂流記」で直木賞を受賞。ほかの作品に「本日休診」「駅前旅館」など。

続きを読むには……

『山椒魚』（新潮文庫）など。

教科書採録度★★★★★

武蔵野

国木田独歩

「武蔵野《むさしの》の俤《おもかげ》は今纔《わづか》に入間郡《いるまごほり》に残れり」と自分は文政年間に出来た地図で見た事がある。そしてその地図に入間郡「小手指原《こてさしはら》久米川《くめがは》は古戦場なり太平記元弘《げんこう》三年五月十一日源平小手指原にて戦ふ事一日か内に三十余度日暮れは平家三里退て久米川に陣を取る明《あく》れは源氏久米川の陣へ押寄《おしよす》ると載せたるはこの辺なるべし」と書込んであるのを読んだ事がある。自分は武蔵野の跡の纔に残《のこっ》て居る処《ところ》とは定めてこの古戦場あたりではあるまいかと思《おもっ》て、一度《いっ》行て見る積《つもり》で居て未《ま》だ行かないが実際は今も矢張《やはり》その通りであろうかと危ぶんで居る。兎《と》も角《かく》、画《え》や歌でばかり想像して居る武蔵野をその俤ばかりでも見たいものとは自分ばかりの願《ねがい》ではあるまい。それほどの武蔵野が今は果していかがであるか、自分は詳《く》わしくこの問に答えて自分を満足させたいとの望《のぞみ》を起したことは実に一年前の事であって、今は益々《ますます》この望が大きくなって来た。

さてこの望が果して自分の力で達せらるるであろうか。……

これはある時期から「郊外の発見」という概念とともに記憶されるようになった作品である。独歩はツルゲーネフの「あいびき」（二葉亭四迷訳）に導かれて、武蔵野の「詩趣」を発見したと言う。西洋人の「目」を介して自然を見るのは、この時代にはふつうのことだった。

読みのポイント

落葉樹の楢《なら》だから四季折々の自然美を楽しむことが可能になったわけで、日本美の象徴だった松であれば「詩趣」は起こらなかったとも言う。松や桜は日本美だが、楢はそうではなかった。日本美も写実という技法によって書かれていたが、お決まりの題材ではなく武蔵野の楢を書いてもいいとする「詩趣」は、写実によって何を書いてもいいと考える写実主義という思想に支えられている。写実と写実主義とは、重なり合いながらちがっている。

この「詩趣」は「散歩」という新しい楽しみを生み出した。それまでの日本では、目的を持たない歩きを楽しみとは感じなかった。郊外とは都会でも田舎でもないエリアのことで、武蔵野という「郊外の発見」はそれを楽しむ感性の変革を引き起こした。

くにきだ・どっぽ（一八七一～一九〇八）下総国《しもうさのくに》（現在の千葉県）生れ。東京専門学校中退後、新聞記者などを経て一八九七年、田山花袋《かたい》らとの合著『抒情詩』で詩人として出発。次いで、一九〇一年に短篇小説集『武蔵野』を刊行。ほかの作品に「牛肉と馬鈴薯《ばれいしょ》」「春の鳥」など。

続きを読むには……

『武蔵野』（新潮文庫）など。

教科書採録度★★★★★

大造じいさんとガン

椋 鳩十

今年も、残雪はガンの群れをひきいて沼地にやって来た。

残雪というのは、一羽のガンにつけられた名前である。左右の翼に一か所ずつまっ白なまじり毛をもっていたので、狩人《かりゅうど》たちからそうよばれていた。

残雪は、この沼地にあつまるガンの頭領らしい。なかなかりこうなやつで、仲間が餌《え》をあさっている間も、ゆだんなく気をくばっていて、猟銃のとどくところまで、けっして人間をよせつけなかった。

大造じいさんは、この沼地を狩り場にしていたが、いつごろからかこの残雪が来るようになってから、一羽のガンも手に入れることができなくなったので、いまいましく思っていた。

そこで残雪がやって来たと知ると、大造じいさんは今年こそはとかねて考えておいた特別な方法にとりかかった。……

読みのポイント

残雪と名付けられた「ガンの頭領」と大造じいさんとの知恵比べの物語である。動物ものの常として、「仲間」のガンを救うためにハヤブサと戦って傷ついた残雪を「それは、鳥とはいえ、いかにも頭領らしいどうどうたる態度のようであった」と語るなど、「ガンの英雄」としての擬人化が行われている。この作品が大戦中の一九四一年に発表された点を踏まえて、ヒロイズムによる「戦争文学」だとする興味深い意見もある（千田《ちだ》洋幸《ひろゆき》）。

基本的に大造じいさん視点だが、二カ所残雪視点となっている。一カ所は「きのうまでなかった小さな小屋をみとめた」で、残雪の注意深さが強調される。もう一カ所は「残雪の目には、人間もハヤブサもなかった。ただ救わねばならぬ仲間の姿があるだけだった」で、残雪の命がけの英雄ぶりが強調される。このとき大造じいさんは「何と思ったか、ふたたび銃をおろしてしまった」（傍点引用者）とあり、ここだけ彼の思いを読者が想像するように語られている。もちろん、残雪を英雄と認めたと読むしかない。この仕掛けによって、人間と動物の交流の物語とヒロイズムとが作り上げられている。

むく・はとじゅう（一九〇五～一九八七）長野県生れ。法政大卒。小学校の代用教員、高等女学校教師を経て、児童文学を執筆。戦後は鹿児島県立図書館長に就任した。ほかの作品に「片耳の大鹿《おおしか》」「孤島の野犬」など。

続きを読むには……

『大造じいさんとガン』（理論社）など。

教科書採録度 ★★★★★

最後の授業

ドーデ　南本史 訳

その日の朝は、ぼくは学校へいくのがすっかりおそくなってしまった。それに、アメル先生が動詞についてぼくたちに質問するといっていたのに、ぜんぜん勉強していなかったので、しかられるのがすごくこわい。ふと、授業をさぼって、野原でも走りまわろうかなと思った。

とてもあたたかい、よく晴れた日だ！

森のはずれでツグミが鳴いている。製材所のうしろのリペールの野原で、プロシア兵が演習しているのがきこえてくる。どれもこれも、文法の規則なんかよりよっぽどいい。でも、ぼくはぐっとこらえて、学校のほうへとんでいった。

役場の前にさしかかると、金網をはった小さな掲示板のそばに、ひとだかりがしていた。

この二年間というもの、敗戦とか徴用とか司令部の命令とか、……

読みのポイント

「母語を大切に」を説く定番教材だったが、一九八六年を境に国語教科書から一斉に姿を消した曰《いわ》く付きの教材だ。消えた理由から学ぶことは多い。アルザス地方がプロシアに征服されて、フランス語で行える最後の授業を書いた感動的な短篇であるはずだった。問題は、アルザス地方である。フランスとドイツの国境地帯にあるので、フランス系住民もドイツ系住民も多い。言葉はアルザス語と言っていい。つまり、フランス語の授業自体がアルザス地方の人々から見れば押しつけなのだ。

この小説の欺瞞《ぎまん》を指摘したのは蓮實《はすみ》重彦《しげひこ》だ。言語学者の田中克彦《かつひこ》がこの欺瞞を近代日本の言語政策と絡《から》めて痛烈に批判し、国語教育学者の浜本純逸が母語を奪いながら母語を大切にと説くアメル先生の滑稽《こっけい》さを指摘した。『最後の授業』では「母語を大切に」とは教えられないのだ。それで、国語教科書から消えたのだ。府川源一郎は、『最後の授業』を明治時代から調査し、近代日本がこの教材をいかに都合よく使ってきたかをキッチリ論じている。「母語」について教えることの難しさが浮き彫りになった教材である。

ドーデ　アルフォンス
(一八四〇〜一八九七)
フランスの作家。一八五八年、第一詩集『恋する女たち』を刊行した。ほかの作品に戯曲「アルルの女」や短篇小説集『風車小屋だより』など。

続きを読むには……
『最後の授業』(ポプラポケット文庫)など。

教科書採録度 ★★★★

おおきなかぶ

（

信号

教科書採録度★★★★

おおきなかぶ

A・トルストイ 再話　内田莉莎子 訳

おじいさんが　かぶを　うえました。
「あまい　あまい　かぶになれ。おおきな　おおきな　かぶになれ」
あまい　げんきのよい　とてつもなく　おおきい　かぶが　できました。

おじいさんは　かぶを　ぬこうと　しました。
うんとこしょ　どっこいしょ
ところが　かぶは　ぬけません。

おじいさんは　おばあさんを　よんできました。
おばあさんが　おじいさんを　ひっぱって、
おじいさんが　かぶを　ひっぱって……

読みのポイント

ロシア民話を子供向きに書き換えたものである。お爺《じい》さんが蕪《かぶ》を植え、それが大きくなりすぎたために抜けなくなって、みんなが協力してやっと抜けたというだけの話だ。

子供達は「うんとこしょ　どっこいしょ」というかけ声の繰り返しに大きな面白さを感じる。実際、特に小さい子供は一見単調でナンセンスな繰り返しを何よりも喜ぶものだ。幼い子供にとって、言葉はまるで音楽のように聞こえるのだろう。その上に、みんなが加わっていく繰り返しもあって、子供達を楽しませる。

ところが、この教材には大きな問題があると言う（蓼沼正美《たでぬままさみ》）。皆が力を合わせればできるという道徳教育の教材として扱われるのだ。そしてその道徳性を強調するために、国語教科書では、協力する人物や動物たちの蕪を引っ張る順番を入れ替えて、鼠《ねずみ》を最後に置く訳を収録している。最後に鼠が登場して蕪が抜けるところに感動の中心があり、小さな存在の大きな役割をクローズアップするような道徳が説かれることになると言うのだ。繰り返しの愉《たの》しみ、言葉が音楽になる愉しみ。それだけでいいではないか。

トルストイ　アレクセイ・ニコラエヴィチ
（一八八三〜一九四五）
ロシアの作家。詩集『空色の河のかなたに』などで文壇に登場。ＳＦや歴史小説の分野で活躍した。ほかの作品に「ピョートル大帝の一日」「苦悩の中を行く」など。

続きを読むには……

『おおきなかぶ』（福音館書店）など。

教科書採録度★★★★

檸檬

梶井基次郎

えたいの知れない不吉な塊《かたまり》が私の心を始終圧《おさ》えつけていた。焦燥と云《い》おうか、嫌悪《けんお》と云おうか——酒を飲んだあとに宿酔《ふつかよい》があるように、酒を毎日飲んでいると宿酔に相当した時期がやって来る。それが来たのだ。これはちょっといけなかった。結果した肺尖《はいせん》カタルや神経衰弱がいけないのではない。また脊《せ》を焼くような借金などがいけないのではない。いけないのはその不吉な塊だ。以前私を喜ばせたどんな美しい音楽も、どんな美しい詩の一節も辛抱がならなくなった。蓄音器を聴かせて貰《もら》いにわざわざ出かけて行っても、最初の二三小節で不意に立ち上ってしまいたくなる。何かが私を居《い》堪《たたま》らずさせるのだ。それで始終私は街から街を浮浪し続けていた。

何故《なぜ》だかその頃私は見すぼらしくて美しいものに強くひきつけられたのを覚えている。風景にしても壊れかかった街だとか、その街にしても他所他所《よそよそ》しい表通りよりもどこか親しみのある、……

読みのポイント

もしかすると近代文学史上もっとも有名な誤植のあった小説として記憶されるかもしれない。冒頭の「不吉な塊」が同人誌『青空』に発表された時には、「不吉な魂」となっていたのだ。ちょっと考えると「不吉な魂」の方が通りがいいようにも思うが、ここは「塊」でなければならない。だって、「私」が持つのはまさに重さを持った「塊」としての「檸檬《レモン》」なのだし、それを発見した暗い店先には「裸の電燈《でんとう》」（もちろん球体）があり、それを持って行くのは「丸善」（丸くて善いもの）なのだから。

『檸檬』は『闇《やみ》の絵巻』同様、明と暗がモチーフになっている。暗い通りの店先にあったカリフォルニヤの太陽をたっぷり浴びたレモンエロウ色をした檸檬。この色と「塊」としての質感が「私」を癒《い》やす。そして、西洋ものの輸入代理店として当時もっとも西洋に近い場所でもあった丸善を檸檬爆弾で木《こ》っ端微塵《ばみじん》にするのだと夢想する。近代日本の学校は西洋の学問を学ぶ洋学校だから、それは学生である「私」が自分を破壊することでもある。『檸檬』は、自己否定を伴ったとても危険な小説なのだ。

かじい・もとじろう（一九〇一〜一九三二）大阪市生れ。一九二四年、東京帝大英文科に入学。同人誌「青空」で積極的に活動するが、持病の肺結核が悪化。療養のため訪れた伊豆の湯ヶ島温泉で創作を続けた。

続きを読むには……

『檸檬』（新潮文庫）など。

教科書採録度★★★★

吾輩は猫である

夏目漱石

吾輩《わがはい》は猫である。名前はまだ無い。

どこで生れたか頓《とん》と見当がつかぬ。何でも薄暗いじめじめした所でニャーニャー泣いていた事だけは記憶している。吾輩はここで始めて人間というものを見た。然《しか》もあとで聞くとそれは書生という人間中で一番獰悪《どうあく》な種族であったそうだ。この書生というのは時々我々を捕《つかま》えて煮て食うという話である。然しその当時は何という考《かんがえ》もなかったから別段恐しいとも思わなかった。但《ただ》彼の掌《てのひら》に載せられてスーと持ち上げられた時何だかフワフワした感じが有ったばかりである。掌の上で少し落ち付いて書生の顔を見たのが所謂《いわゆる》人間というものの見始《みはじめ》であろう。この時妙なものだと思った感じが今でも残っている。第一毛を以《もっ》て装飾されべき筈《はず》の顔がつるつるしてまるで薬罐《やかん》だ。その後猫にも大分逢《あ》ったがこんな片輪には一度も出会《でく》わした事がない。加之《のみならず》顔の真中が余りに突起している。そうしてその穴の中から時々ぷうぷうと烟《けむり》を吹く。……

これが親友・正岡子規が残した「山会」で読み上げられたのは、明治三七年の晩秋から初冬のある日だった。

なつめ・そうせき
21頁参照。

読みのポイント

朗読を聞いた漱石自身が笑っていた。タイトルを「猫伝」にしようか、初めの一文にしようか迷っていた。後者がいいと、若い友人で俳人の高浜虚子が決めた。大好評で、一回のはずが連載となった。

漱石のつもりでは、これは小説ではなく、見たままを書く写生文だった。猫の見た人間世界という工夫が受けた。観察される人間は、議論は好きだが、どうにもならない連中ばかり。後半になると、物理学者の寒月の恋がいくぶんか物語風にはなるが、権力と金力の批判が中心だ。それもずいぶん乱暴な言葉づかいで。明治三六年に留学を終えた漱石は、長い間精神的に不安定だった。自分の分身・苦《く》沙弥《しゃみ》先生を笑い飛ばすのも鬱憤《うっぷん》晴らしだったが、それで漱石は癒《い》やされていたようだ。こうして作家・夏目漱石が誕生した。

だから読者は一度苦沙弥先生になりきって、そういう自分をも笑い飛ばせればきっと爽快《そうかい》になる。「私は苦沙弥先生かもしれない」と思えるかどうかが、面白いかどうかの境目だ。

続きを読むには……

『吾輩は猫である』（新潮文庫）など。

教科書採録度★★★★

坊っちゃん

夏目漱石

親譲《おやゆず》りの無鉄砲《むてっぽう》で小供の時から損ばかりしている。小学校に居る時分学校の二階から飛び降りて一週間程腰《ほどこし》を抜《ぬ》かした事がある。なぜそんな無闇《むやみ》をしたと聞く人があるかも知れぬ。別段深い理由でもない。新築の二階から首を出していたら、同級生の一人が冗談《じょうだん》に、いくら威張《いば》っても、そこから飛び降りる事は出来まい。弱虫やーい。と囃《はや》したからである。小使に負ぶさって帰って来た時、おやじが大きな眼をして二階位から飛び降りて腰を抜かす奴《やつ》があるかと云ったから、この次は抜かさずに飛んで見せますと答えた。

親類のものから西洋製のナイフを貰《もら》って奇麗《きれい》な刃を日に翳《かざ》して、友達に見せていたら、一人が光る事は光るが切れそうもないと云った。切れぬ事があるか、何でも切って見せると受け合った。そんなら君の指を切ってみろと注文したから、何だ指位この通りだと右の手の親指の甲《こう》をはすに切り込んだ。幸《さいわい》ナイフが小さいのと、……

読みのポイント

正義感に溢《あふ》れた江戸っ子が、四国の嫌らしい教師たちと一戦交えて、颯爽《さっそう》と帰ってくる物語。まちがってはいないが、面白くもない。でも、学校ではいまでもこう読むんだろうなあ。「負けても正義」と教えないと、教育上よくないし。

そもそも〈坊っちゃん〉の実家は下町ではないから、江戸っ子とは言い難い。役人になって麹町《こうじまち》に洋間と庭にブランコのある家を持つという下女の清《きよ》の夢想は、当時の立身出世の形そのもの。入学者の三割も卒業できない物理学校を規定の三年で終えたのは秀才かもしれない。中学校の教員のエリート度はいまの大学教員をしのぐ。〈坊っちゃん〉にも清にも山の手エリート志向があったようだ。

当時の読者には〈坊っちゃん〉が負ける意味がわかっていたという研究者がいる（平岡敏夫《ひらおかとしお》）。元は旗本の家柄の〈坊っちゃん〉、明治維新で零落した清、戊辰《ぼしん》戦争で敗れた会津の山嵐《やまあらし》。みんな佐幕派（幕府側）だ。いったんは山の手志向を持った〈坊っちゃん〉も、明治のエリート赤シャツに負けるのだ。負けたからこそ、江戸っ子になれたのだ。〈坊っちゃん〉は佐幕派への鎮魂の物語だった。

なつめ・そうせき 21頁参照。

続きを読むには……

『坊っちゃん』（新潮文庫）など。

教科書採録度★★★★

山椒魚

井伏鱒二

山椒魚《さんしょううお》は悲しんだ。

彼は彼の棲家《すみか》である岩屋から外に出てみようとしたのであるが、頭が出口につかえて外に出ることができなかったのである。今はもはや、彼にとっては永遠の棲家である岩屋は、出入口のところがそんなに狭かった。そして、ほの暗かった。強《し》いて出て行こうとこころみると、彼の頭は出入口を塞《ふさ》ぐコロップの栓《せん》となるにすぎなくて、それはまる二年の間に彼の体が発育した証拠にこそはなったが、彼を狼狽《ろうばい》させ且《か》つ悲しませるには十分であったのだ。

「何たる失策であることか！」

彼は岩屋のなかを許されるかぎり広く泳ぎまわってみようとした。人々は思いぞ屈せし場合、部屋のなかを屢々《しばしば》こんな工合に歩きまわるものである。けれど山椒魚の棲家は、泳ぎまわるべくあまりに広くなかった。……

『山椒魚』（昭和四年）の原型は『幽閉』（大正一二年）である。『幽閉』が『山椒魚』に「成長」する過程で一番変わったのは文体だった。『山椒魚』では、思い切った英文直訳体が用いられている。晩年に自選集に収めるとき、そのゴツゴツした文体を滑らかな文体に書き換え、多くの批判を浴びた。この世代の作家は、志賀直哉《なおや》の文体に憧《あこが》れていたようだ。
『山椒魚』は、「自由」を圧殺するような時代状況に対する違和感の表明だとよく言われる。そうにちがいないだろうが、それだけだと末尾の山椒魚と蛙《かえる》が和解する意味がよくわからない。これは逆ユートピア小説ではないだろうか。世の中は「自由」が満喫できれば幸福になれるほど単純ではない。実際に「自由」を手に入れてみれば、「自由」の恐ろしさをたっぷり味わうだろう。「自由」であればあるほど、人は自分を実感できなくなり、何をしたらいいのかもわからなくなる。山椒魚は、「自由」であるはずのメダカが少しも「自由」ではないことを見抜いている。岩穴に閉じ込められた山椒魚は、「自由」という名の不幸を浮かび上がらせている。

いぶせ・ますじ
43頁参照。

続きを読むには……

『山椒魚』（新潮文庫）など。

読みのポイント

教科書採録度★★★★

伊豆の踊子

川端康成

　道がつづら折りになって、いよいよ天城峠《あまぎとうげ》に近づいたと思う頃《ころ》、雨脚《あまあし》が杉《すぎ》の密林を白く染めながら、すさまじい早さで麓《ふもと》から私を追って来た。

　私は二十歳《さい》、高等学校の制帽《せいぼう》をかぶり、紺飛白《こんがすり》の着物に袴《はかま》をはき、学生カバンを肩《かた》にかけていた。一人伊豆の旅に出てから四日目のことだった。修善寺《しゅぜんじ》温泉に一夜泊り、湯ヶ島温泉に二夜泊り、そして朴歯《ほおば》の高下駄《たかげた》で天城を登って来たのだった。重なり合った山々や原生林や深い渓谷《けいこく》の秋に見惚《みと》れながらも、私は一つの期待に胸をときめかして道を急いでいるのだった。そのうちに大粒《おおつぶ》の雨が私を打ち始めた。折れ曲った急な坂道を駈《か》け登った。ようやく峠の北口の茶屋に辿《たど》りついてほっとすると同時に、私はその入口で立ちすくんでしまった。余りに期待がみごとに的中したからである。そこで旅芸人の一行が休んでいたのだ。

　突《つ》っ立っている私を見た踊子《おどりこ》が直ぐに自分の座蒲団《ざぶとん》を外して、……

読みのポイント

大学院生だった頃、先生が「あの青年はやりたくてやりたくてしょうがないんだよ」と、呟《つぶや》くように口にした。「君たちはそうは思わないだろうが」といったニュアンスだったが、もちろん「やりたい」のは当たり前だと思っていた。たとえば露天風呂《ぶろ》から手を振る踊子を見て「子供なんだ」と感動する一節を読めば、青年がそれまで「やりたい」と思っていた自分の勘違い(?)に気づいたことは、誰にでもわかるだろう。踊子の母親の警戒ぶりも、青年の「やりたい」気持ちを見抜いている。

性慾《せいよく》は「自然」な欲望だが、それがあるからこそ「いい人はいいね」という踊子の言葉が清らかに響くのだし、末尾で青年が流す涙も清らかに読めるのだ。この小説が浄化するのは川端康成の「孤児根性」などではなく、青年の性慾なのである。男性の読者に聞いてみたい。青年がしなくてよかったと、思わなかっただろうか。そう思ったとき、踊子は誰にとっても永遠の少女になるのだ。こうした読書体験は、私たちの性慾に対するやや否定的な感性がもたらすものだろう。だから教科書教材になったのだ。

かわばた・やすなり
(一八九九〜一九七二)
大阪府生れ。東京帝大国文科卒。一九二三年、「文藝春秋」同人となる。一九二四年、横光利一らと同人誌「文藝時代」を創刊し、新感覚派運動を興す。一九六八年、ノーベル文学賞を受賞。ほかの作品に「雪国」「眠れる美女」など。

続きを読むには……

『伊豆の踊子』(新潮文庫)など。

教科書採録度 ★★★★

鼻

芥川龍之介

禅智内供《ぜんちないぐ》の鼻と云《い》えば、池の尾で知らない者はない。長さは五六寸あって、上唇《うわくちびる》の上から顋《あご》の下まで下っている。形は元も先も同じように太い。云わば、細長い腸詰めのような物が、ぶらりと顔のまん中からぶら下っているのである。

五十歳を越えた内供は、沙弥《しゃみ》の昔から内道場供奉《ないどうじょうぐぶ》の職に陞《のぼ》った今日《こんにち》まで、内心では始終この鼻を苦に病んで来た。勿論《もちろん》表面では、今でもさほど気にならないような顔をしてすましている。これは専念に当来の浄土を渇仰《かつごう》すべき僧侶《そうりょ》の身で、鼻の心配をするのが悪いと思ったからばかりではない。それより寧《むしろ》、自分で鼻を気にしていると云う事を、人に知られるのが嫌《いや》だったからである。内供は日常の談話の中に、鼻と云う語が出て来るのを何よりも惧《おそ》れていた。

内供が鼻を持てあました理由は二つある。——一つは実際的に、鼻の長いのが不便だったからである。第一飯を食う時にも独りでは食えない。独りで食えば、……

読みのポイント

芥川龍之介の歴史小説には下敷きにした古典がある。『鼻』は『今昔《こんじゃく》物語』と『宇治拾遺物語』である。芥川龍之介らが尊敬してやまなかった夏目漱石に手紙で激賞され、小説家として立つ決心を固めた作品とも言われている。

日常生活でも邪魔になるほどの長い鼻を短くしたらもっと笑われる皮肉が、ユーモアに「傍観者の利己主義」というワサビをまぶしたピリッとした文体で書かれている。それらを含めて、「人間関係にはこういうことがある、ある」と、シニカルな読み方がなされているのではないだろうか。それが可能なのも、これほど長い鼻はふつうにはないからだろう。そして、語り手が当の禅智内供を突き放して語っているからだろう。「内供には、遺憾《いかん》ながらこの問に答を与える明が欠けていた」といった一文に、それが端的に現れている。読者はこの位置から禅智内供を読むから、安心して彼を笑えるのだ。しかし語り手の力学を無視して、これを「体の障害を笑う物語」と一般化したらどうだろう。『鼻』が教科書から消えた理由はおそらくそこにある。それもまた文学の読み方なのだが。

あくたがわ・りゅうのすけ
19頁参照。

続きを読むには……

『羅生門・鼻』（新潮文庫）など。

教科書採録度★★★★

生れ出づる悩み

有島武郎

私は自分の仕事を神聖なものにしようとしていた。ねじ曲ろうとする自分の心をひっぱたいて、出来るだけ伸び伸びした真直《まっすぐ》な明るい世界に出て、そこに自分の芸術の宮殿を築き上げようと藻掻《もが》いていた。それは私に取ってどれ程喜ばしい事だったろう。と同時にどれ程苦しい事だったろう。私の心の奥底には確かに——凡《すべ》ての人の心の奥底にあるのと同様な——火が燃えてはいたけれども、その火を燻《いぶ》らそうとする塵芥《ちりあくた》の堆積《たいせき》は又ひどいものだった。かき除《の》けてもかき除けても容易に火の燃え立って来ないような瞬間には私は惨《みじ》めだった。私は、机の向うに開かれた窓から、冬が来て雪に埋もれて行く一面の畑を見渡しながら、滞りがちな筆を叱《しか》りつけ叱りつけ運ばそうとしていた。

寒い。原稿紙の手ざわりは氷のようだった。

陽はずんずん暮れて行くのだった。灰色から鼠色に、……

読みのポイント

高校の教科書で、木本少年が「私」をはじめて訪れる場面と再会する場面を読んだときのこと、この鬱屈《うっくつ》した少年と自分とを重ね合わせて、そして数年後には絵を描く才能を開花させた青年と自分とを重ね合わせて、こころ密《ひそ》かに自分の才能を思った。この少年の苦難にみちた「成長」を祝福するより、自分と重ね合わせてしまう。そういう読者は多いのではないだろうか。

しかし、少し冷静になって読み返してみると、終わり近くに「君の談話や手紙を総合した僕のこれまでの想像」とあるのが気になってくるものだ。木本青年の岩内での生活は、おそらく半ば以上は「私」の想像の産物だったのである。そう言えば、「私」は、出船の光景を音楽にたとえながらいかにも楽しそうに書いている。木本青年の生活そのものが、まるで芸術でもあるかのように。そもそも、この手記はこうはじまっていた。「私は自分の仕事を神聖なものにしようとしていた」と。「私」は自分の芸術のために、木本青年を隠れた芸術家として作り上げてしまったようだ。そのことで救われるのはもちろん「私」であって、木本青年ではない。

ありしま・たけお
（一八七八〜一九二三）
東京生れ。札幌農学校卒業後、アメリカに留学。帰国後、英語教師となる。一九一〇年、「白樺《しらかば》」の同人となり、文学活動をはじめる。ほかの作品に「小さき者へ」「或《あ》る女」など。

続きを読むには……

『小さき者へ・生れ出づる悩み』（新潮文庫）など。

教科書採録度★★★★

一つの花

今西祐行

「一つだけ、ちょうだい。」

これが、ゆみ子のはっきりおぼえた、最初のことばでした。

まだ、戦争のはげしかったころのことです。

そのころは、おまんじゅうだの、キャラメルだの、チョコレートだの、そんなものは、どこへ行ってもありませんでした。おやつどころではありませんでした。食べるものといえば、お米のかわりに配給される、おいもや、まめや、かぼちゃしかありませんでした。

毎日、てきの飛行機がとんできて、ばくだんを落としていきました。

町は、つぎつぎに焼かれて、灰になっていきました。

ゆみ子は、いつもおなかをすかしていたのでしょうか。ごはんのときでも、おやつのときでも、もっと、もっと、といって、いくらでもほしがるのでした。……

空爆が日常的にあるから、戦争も末期だろう。食糧事情も悪い。こういう時には、多くは母親が瘠《や》せていったという。自分の分を少しでも家族に回したからである。母性という名の残酷。ゆみ子が空腹に耐えられず「一つだけ、ちょうだい」と言うと、この母親も自分の分を分けてやっていた。父親の言葉も悲しい。ゆみ子は一生「一つだけ」しか望めないかもしれないと。

その父親が召集された。「それからまもなく、あまりじょうぶでないゆみ子のおとうさんも、戦争に行かなければならない日が、やってきました」と。小説の神は細部に宿る。平和への希求を露ほども疑わないが、それでもこの表現にはほんのわずかな違和感を覚える。なぜ「あまりじょうぶでない」なのか。「そんな人まで、ひどいことだ」と言うのだろう。それでも、なぜこの表現なのか。「じょうぶ」な人なら仕方がないなどとは言っていない。しかし、「あまりじょうぶでない」という表現で悲しみを増幅させようとすることは、とても残酷なことだと知っておかなければならない。戦争には、たとえどんな人間であっても行ってはいけないのだから。

読みのポイント

いまにし・すけゆき
（一九二三〜二〇〇四）
大阪府生れ。早稲田大学仏文科卒。在学中より作品を発表。一九六九年、「浦上《うらがみ》の旅人たち」で野間児童文芸賞を受賞。ほかの作品に「肥後の石工」「光と風と雲と樹《き》と」など。

続きを読むには……
『一つの花』（ポプラポケット文庫）など。

教科書採録度★★★★

高瀬舟

森鷗外

高瀬舟は京都の高瀬川を上下する小舟である。徳川時代に京都の罪人が遠島を申し渡されると、本人の親類が牢屋敷《ろうやしき》へ呼び出されて、そこで暇乞《いとまごい》をすることを許された。それから罪人は高瀬舟に載せられて、大阪へ廻されることであった。それを護送するのは、京都町奉行《まちぶぎょう》の配下にいる同心《どうしん》で、この同心は罪人の親類の中《うち》で、主立《おもだ》った一人《いちにん》を、大阪まで同船させることを許す慣例であった。これは上《かみ》へ通った事ではないが、所謂《いわゆる》大目に見るのであった黙許であった。

当時遠島を申し渡された罪人は、勿論《もちろん》重い科《とが》を犯したものと認められた人ではあるが、決して盗《ぬすみ》をするために、人を殺し火を放ったと云《い》うような、獰悪《どうあく》な人物が多数を占めていたわけではない。高瀬舟に乗る罪人の過半は、所謂心得違《こころえちがい》のために、想《おも》わぬ科を犯した人であった。有り触れた例を挙げて見れば、当時相対死《あいたいし》と云った情死を謀《はか》って、相手の女を殺して、自分だけ活《い》き残った男と云うような類《たぐい》である。……

自殺幇助《ほうじょ》（あるいは安楽死）をテーマとした小説として有名。自殺を図った弟が死にきれずにいたところを、兄・喜助が死に至らしめた。遠島を申し渡された喜助を、役人の羽田庄兵衛《しょうべえ》が高瀬舟で護送する間に、事の次第を喜助から聞いた。

もり・おうがい
23頁参照。

読みのポイント

喜助の自殺幇助は罪か罪でないか。作中では答えが出ないように工夫されている。「いつの頃であったか」と、語り手が語る体裁から始まりながら、それ以後は庄兵衛視点となって、彼の思考の範囲を出ないようにしてある。だから、あとは読者がこの問題を考えなければならない。喜助が遠島を苦にしないのは、貧苦から逃れられるからだけではなく、おそらく罰を望んでいたからだろう。

そのほかにも、いかにも鷗外らしい小さなテーマがいくつか仕込んである。「所詮《しょせん》町奉行の白洲《しらす》で、表向《おもてむき》の口供《こうきょう》を聞いたり」云々《うんぬん》は明らかに現場を知らない役人批判だし、人はもっと欲しいと思うものなのに喜助は「足ることを知っている」と庄兵衛が感心するのは資本主義批判である。資本主義を成り立たせているのは際限のない欲望なのだから、この批判はみごとに根本を捉《とら》えている。

続きを読むには……

『山椒大夫・高瀬舟』（新潮文庫）など。

教科書採録度★★★★

黒い雨

井伏鱒二

この数年来、小畠《こばたけ》村の閑間《しずま》重松《しげまつ》は姪《めい》の矢須子《やすこ》のことで心に負担を感じて来た。数年来でなくて、今後とも云《い》い知れぬ負担を感じなければならないような気持であった。二重にも三重にも負目を引受けているようなものである。理由は、矢須子の縁が遠いという簡単なような事情だが、戦争末期、矢須子は女子徴用で広島市の第二中学校奉仕隊の炊事部に勤務していたという噂《うわさ》を立てられて、広島から四十何里東方の小畠村の人たちは、矢須子が原爆病患者だと云っている。患者であることを重松夫妻が秘し隠していると云っている。だから縁遠い。近所へ縁談の聞き合せに来る人も、この噂を聞いては一も二もなく逃げ腰になって話を切りあげてしまう。

広島の第二中学校奉仕隊は、あの八月六日の朝、新大橋西詰かどこか広島市中心部の或《あ》る橋の上で訓辞を受けているとき被爆した。その瞬間、生徒たちは全身に火傷《やけど》をしたが、引率教官は生徒一同に「海ゆかば……」の歌をピアニシモで合唱させ、……

読みのポイント

主人公は閑間重松だが、『黒い雨』が重松静馬《しずま》の日記（『重松日記』として井伏の死後に刊行）などを下敷きにしていることは広く知られている。この本では教科書教材として収録されていた、井伏鱒二『黒い雨』だけを考えればいいと思う。

いぶせ・ますじ 43頁参照。

閑間重松の姪は「原爆病」だという疑いから、縁遠くなっている。事実は、疑いではなく発症したことが明かされるが、小説の中心は閑間重松が自分が被爆したことを記録した「被爆日記」を清書することで、その内容が読者に伝えられるところにある。「被爆日記」は被爆体験を淡々と、克明に伝える。

今村昌平監督の映画『黒い雨』は、カンヌ映画祭で「原爆が自然災害のように見える」と批評されたと聞く。それは政治の問題が抜けているからだろう。この批評は当たっているが、天皇の「玉音放送」を「今後、大いに戦うべし」と聞いてしまう作中人物がいるほど政治に縁遠いために、庶民の目から見た「被爆」がみごとに書かれたのである。『黒い雨』からは、そういう庶民の悲しさも浮かび上がってくる。怒りと悲しみと、それが『黒い雨』だ。

続きを読むには……

『黒い雨』（新潮文庫）など。

教科書採録度★★★★

少年の日の思い出

ヘルマン・ヘッセ　高橋健二 訳

客は夕方の散歩から帰って、私の書斎で私のそばにこしかけていた。昼間の明るさは消えうせようとしていた。窓の外には、色あせた湖が、丘の多い岸に鋭くふちどられて、遠くかなたまでひろがっていた。ちょうど、私の末の男の子が、おやすみを言ったところだったので、私たちは子どもや幼い日の思い出について話しあった。

「子どもができてから、自分の幼年時代のいろいろの習慣や楽しみごとがまたよみがえってきたよ。それどころか、一年前から、ぼくはまた、チョウチョ集めをやっているよ。お目にかけようか」と私は言った。

彼が見せてほしいと言ったので、私は収集のはいっている軽い厚紙の箱を取りにいった。最初の箱をあけて見て初めて、もうすっかり暗くなっているのに気づき、私はランプを取ってマッチをすった。すると、たちまち外の景色はやみに沈んでしまい、窓いっぱいに不透明な青い夜色に閉ざされてしまった。……

読みのポイント

一種の学校批判小説『車輪の下』で有名な、ドイツの誇るノーベル賞作家。第一次世界大戦でヨーロッパの知性に絶望し、以後、波乱に満ちた生涯を送る。『少年の日の思い出』は、そのヘッセの精神が凝縮されたような掌篇である。〈私〉の友人がチョウの蒐集《しゅうしゅう》にまつわる苦い思い出を語る〈枠小説〉である。チョウの標本を集めている友人が隣家のエーミールの持っている珍しい標本を盗もうとして壊してしまい、そのことをエーミールに告白したが許してはもらえなかった。そのあと、友人は蒐集したチョウの標本をすべて自分で潰《つぶ》したのだった。

エーミールは友人を罵《ののし》らない。彼は「非のうちどころがないという悪徳」を持っていたからだ。この掌篇のポイントは「盗みは悪いものだ」ということなどではなく、「世界のおきて」＝正義の恐ろしさや非人間性の告発にほかならない。唐突だが、これに谷崎潤一郎『刺青《しせい》』の冒頭「それはまだ人々が「愚《おろか》」と云《い》う貴い徳を持って居て、世の中が今のように激しく軋《きし》み合わない時分であった」を接続させれば、文学のありかがよくわかる。

ヘッセ　ヘルマン
(一八七七〜一九六二)
ドイツの抒情詩人・小説家。職を転々としたのち書店員となり、一九〇四年に発表した「郷愁」で作家生活に。ほかの作品に「車輪の下」「幸福論」など。

続きを読むには……
『ヘッセ全集2』(新潮社)など。

教科書採録度 ★★★★

赤い繭

安部公房

日が暮れかかる。人はねぐらに急ぐときだが、おれには帰る家がない。おれは家と家との間の狭い割目をゆっくり歩きつづける。街中こんなに沢山の家が並んでいるのに、おれの家が一軒もないのは何故《なぜ》だろう?……と、何万遍かの疑問を、また繰返しながら。

電柱にもたれて小便をすると、そこには時折縄《なわ》の切端なんかが落ちていて、おれは首をくくりたくなった。縄は横目でおれの首をにらみながら、兄弟、休もうよ。まったくおれも休みたい。だが休めないんだ。おれは縄の兄弟じゃなし、それにまだ何故おれの家がないのか納得のゆく理由がつかめないんだ。

夜は毎日やってくる。夜が来れば休まなければならない。休むために家がいる。そんならおれの家がないわけがないじゃないか。

ふと思いつく。……

読みのポイント

日本のカフカ・安部公房の小説を面白く論じることはとても難しい。それは、彼の小説はどれもアレゴリー（寓話《ぐうわ》）としか読めなくて、そこにあからさまに差し出された哲学を超えて論じることなどできないからだ。

『赤い繭《まゆ》』は数編の短篇からなるが、教科書に収録されるのはそのはじめに置かれた「赤い繭」である。自分の家を探し求めて歩きまわる「おれ」がほどけだして（？）赤い繭になってしまう話だ。自分の家を探していた「おれ」が赤い繭という家を得たときには、「おれ」がなくなっていたわけだ。自分という不思議、意識という不思議。「誰かのものであるということが、おれのものでない理由だという、訳の分らぬ論理」。この不条理に注目すれば、所有への懐疑となる。では、なぜ「おれ」は「おれの家」を探すのだろうか。ここで問われているのは、「おれ」が消えても「家」は残る、「家」というものの不思議・不気味だろう。一九六〇年代は、近代日本で「家」の強度が最も広まり、最も高まった時期だったのである。だから、「家」への懐疑を読んでもいいはずだ。

・あべ・こうぼう（一九二四～一九九三）東京生れ。東京大学医学部卒。一九四八年、「終りし道の標《しる》べに」でデビュー。一九五一年、「壁」で芥川賞を受賞。ほかの作品に「砂の女」「カンガルー・ノート」など。

続きを読むには……

『壁』（新潮文庫）など。

教科書採録度★★★★

寒山拾得

森　鷗外

唐《とう》の貞観《じょうがん》の頃だと云うから、西洋は七世紀の初《はじめ》日本は年号と云うもののやっと出来掛かった時である。閭丘胤《りょきゅういん》と云う官吏がいたそうである。尤《もっと》もそんな人はいなかったらしいと云う人もある。なぜかと云うと、閭は台州《たいしゅう》の主簿《しゅぼ》になっていたと言い伝えられているのに、新旧の唐書に伝が見えない。主簿と云えば、刺史《しし》とか太守《たいしゅ》とか云うと同じ官である。支那《しな》全国が道《どう》に分れ、道が州又は郡に分れ、それが県に分れ、県の下に郷《ごう》があり郷の下に里《り》がある。州には刺史と云い、郡には太守と云う。一体日本で県より小さいものに郡の名を附けているのは不都合だと、吉田東伍さんなんぞは不服を唱えている。閭が果して台州の主簿であったとすると日本の府県知事位の官吏である。そうして見ると、唐書の列伝に出ている筈《はず》だと云うのである。しかし閭がいなくては話が成り立たぬから、ともかくもいたことにして置くのである。

さて閭が台州に著任《ちゃくにん》してから三日目になった。長安《ちょうあん》で北支那の土埃《つちほこり》を被《かぶ》って、……

読みのポイント

唐の時代の役人・閭丘胤が国清寺を訪ねたのは、以前そこにいた乞食坊主《こじきぼうず》の豊干《ぶかん》に、一瞬にしてひどい頭痛を治してもらったからだ。豊干は、国清寺には寒山《かんざん》と拾得《じっとく》という二人の偉い人がいると言う。国清寺に着いてみると、寒山も拾得も乞食だった。閭丘胤が恭《うやうや》しく挨拶《あいさつ》をすると、二人は逃げた。逃げしなに「豊干がしゃべったな」と言うと、閭丘胤の周囲には幾多の僧が集まってきて、案内した僧は真っ青な顔で立ちつくしていた。

語り手は、閭丘胤は僧侶《そうりょ》に「盲目の尊敬」を払っているにすぎず、それでは「なんにもならぬ」と言う。また、この時期の鷗外は無欲の達人とも言うべき「渋江抽斎《しぶえちゅうさい》」に向かう過程にあって、『高瀬舟』の喜助は「神の如き愚者」であり、寒山拾得は「愚者の如き神」であるとも言われている（高橋義孝《よしたか》）。鷗外自身も「附寒山拾得縁起」で、子供に話したそのままを書いたのだと言う。

乞食が聖者であるのはよくある話だ。閭丘胤は豊干に頭痛を治してもらったときに、我知らず悟っていたにちがいない。それを一瞬で見抜いたから、寒山拾得は貴いのではないだろうか。

もり・おうがい
23頁参照。

続きを読むには……

『阿部一族・舞姫』（新潮文庫）など。

教科書採録度 ★★★★

俘虜記

大岡昇平

私は昭和二十年一月二十五日ミンドロ島南方山中において米軍の俘虜《ふりょ》となった。

ミンドロ島はルソン島西南に位置するわが四国の半分ほどの大きさの島である。軍事施設として見るべきものなく、これを守るわが兵力は歩兵二個中隊、海岸線に沿った六つの要地に名ばかりの警備駐屯《ちゅうとん》を行うのみである。

私の属する中隊は昭和十九年八月以来、島の南部及び西部の警備を担当した。中隊本部は私を含む一個小隊と共に島の西南端サンホセにあり、他の二つの小隊はそれぞれ東南ブララカオ及び西北パルアンにあった。サンホセ、パルアン間、つまりこの島の全長を蔽《おお》う約五十里の西海岸の全部が開け放たれ、ゲリラが自由に米潜水艦の補給を受けていた。しかし彼等は攻撃しては来なかった。

昭和十九年十二月十五日米軍は艦船約六十隻《せき》をもってサンホセに上陸した。我々は直ちに山に入り、南部丘陵地帯を横切って、……

読みのポイント

現在『俘虜記』として流布《るふ》している小説は、「捉《つか》まるまで」以下の一三の連作短篇からなる。国語教科書に収録されるのは、この「捉まるまで」の一節である。

マラリアに罹《かか》った「私」は、所属する隊と行動を共にできずジャングルを彷徨《ほうこう》していた。その「私」の前に一人の若いアメリカ兵が現れたが、「私」は彼を撃たなかった。その理由を「私の個人的理由によって彼を愛した」＝「父親の感情が私に射《う》つことを禁じた」と、「私」は信じたのである。しかし、「私」のその時の心理の分析は続く。これがこの小説を特徴づけている。人は「したこと」について反省意識を持つことはあっても、「しなかったこと」について反省意識を持つことはあまりないからである。その意味で、「捉まるまで」は意識を書く小説だったと言っていい。

アメリカ兵を撃たなかった理由を「人類愛」ではなく「父親の感情」に求めたことには、奇妙な感じを受ける。「捉まるまで」が書かれた時期、比喩《ひゆ》的に言えばアメリカは大人で日本は子供だったから、これはアメリカに対するレジスタンスだったかもしれない。

おおおか・しょうへい
（一九〇九〜一九八八）
東京生れ。京都帝大仏文科卒。帝国酸素、川崎重工業などに勤務。一九四九年、戦場の経験を書いた『俘虜記』で第一回横光利一賞を受ける。ほかの作品に「野火」「レイテ戦記」など。

続きを読むには……

『俘虜記』（新潮文庫）など。

教科書採録度★★★★

夜明け前

島崎藤村

木曽路《きそじ》はすべて山の中である。あるところは岨《そば》づたいに行く崖《がけ》の道であり、あるところは数十間の深さに臨む木曽川の岸であり、あるところは山の尾をめぐる谷の入口である。一筋の街道はこの深い森林地帯を貫いていた。

東ざかいの桜沢から、西の十曲峠《じっきょく》まで、木曽十一宿《しゅく》はこの街道に添うて、二十二里余にわたる長い谿谷《けいこく》の間に散在していた。道路の位置も幾度《いくたび》か改まったもので、古道はいつの間にか深い山間《やまあい》に埋《うず》もれた。名高い桟《かけはし》も、蔦《つた》のかずらを頼みにしたような危い場処ではなくなって、徳川時代の末には既に渡ることの出来る橋であった。新規に新規にと出来た道はだんだん谷の下の方の位置へと降《くだ》って来た。道の狭いところには、木《き》を伐って並べ、藤づるでからめ、それで街道の狭いのを補った。長い間にこの木曽路に起って来た変化は、いくらかずつでも嶮岨《けんそ》な山坂の多いところを歩きよくした。そのかわり、大雨ごとにやって来る河水の氾濫《はんらん》が旅行を困難にする。……

「木曽路はすべて山の中である」。『木曽路名所図会《ずえ》』の「木曽路はみな山中なり」という下敷きがあるにせよ、

読みのポイント

この冒頭の一文は『夜明け前』全篇のテーマをみごとに提示している。

木曽の名家の当主・青山半蔵は平田篤胤《あつたね》の国学を信奉する「知識人」でもあって、大政奉還に古代への回帰を夢みたが、東京に出て彼が見た明治はそういう時代ではなかった。西洋に学び続けなければならない、いつ終わるともしれない「過渡時代」だったのだ。それは多くの人々の感覚でもあって、「過渡時代」は明治の流行語だった。そういう時代に絶望した半蔵は木曽で狂死する。

幕末から明治維新を経て近代を見据えたこの物語において、近代とは「平野の思想」ではなかったか。木曽は京都という盆地と江戸という平野を結ぶ交通の要所で、それは激動の時代の中間点そのものでもあった。しかし、近代はこの小説自身が「言葉もまた重要な交通の機関である」と書くように、なによりも鉄道という交通網が求められた。それには、広い平野が必要だった。「山中の思想」が「平野の思想」に敗れるのは必然だったのだ。

しまざき・とうそん（一八七二〜一九四三）筑摩《ちくま》県（現在の岐阜県）生れ。明治学院卒。一八九三年、北村透谷らと「文学界」を創刊し、教職に就く傍ら詩を発表。一九〇六年、最初の長編「破戒」を発表し、漱石らの激賞を受けた。ほかの作品に「新生」「春」など。

続きを読むには……

『夜明け前』（全四冊、新潮文庫）など。

教科書採録度★★★★

セメント樽の中の手紙

葉山嘉樹

松戸与三はセメントあけをやっていた。外の部分は大して目立たなかったけれど、頭の毛と、鼻の下は、セメントで灰色に蔽《おお》われていた。彼は鼻の穴に指を突っ込んで、鉄筋コンクリートのように、鼻毛をしゃちこばらせている、コンクリートを除《と》りたかったのだが、一分間に十才《サイ》ずつ吐き出す、コンクリートミキサーに、間に合わせるためには、とても指を鼻の穴に持って行く間はなかった。

彼は鼻の穴を気にしながら遂々《とうとう》十一時間——その間に昼飯と三時休みと二度だけ休みがあったんだが、昼の時は腹の空《す》いてるために、も一つはミキサーを掃除していて暇がなかったため、遂々鼻にまで手が届かなかった——の間、鼻を掃除しなかった。彼の鼻は石膏《せっこう》細工の鼻のように硬化したようだった。

彼が仕舞時分に、ヘトヘトになった手で移した、セメントの樽《たる》から、小さな木の箱が出た。……

読みのポイント

この小説はプロレタリア文学の名作の一つとされてきた。一九二六年の『文芸戦線』に発表された。文学を通してプロレタリアートの悲惨な生活を訴えて闘う雑誌だった。読者は同じ労働者だったから、連帯を意図していたことになる。

松戸与三はセメント工場で、セメントの灰を吸い込む鼻の掃除さえできないほど、こき使われている。その彼がセメント樽の中から一つの箱を拾い上げて中を見ると、恋人がミキサーに呑《の》み込まれて粉々に砕かれた、若い女性の手紙が出て来る。彼女は書いている、彼は「立派にセメントになりました」と。血で染まったセメントが使われるはずもなく、この手紙の内容にリアリティはないが、これほど凛《りん》として悲しい言葉はない。

彼女はこの手紙を読んだら返事がほしいと訴えている。しかし、「松戸与三」という三つのものを与えるはずの名を負った男にその余裕はなかった。労働者は連帯など不可能なほど苦しい生活を強いられている。「与三」はたぶんそういうアイロニカルな名だ。だから、手紙の正しい宛先《あてさき》は「与三」ではない。それが悲しいのだ。

はやま・よしき（一八九四～一九四五）
福岡県生れ。早大予科中退。一九二四年、「牢獄の半日」を「文芸戦線」に発表。ほかの作品に「淫売婦」「海に生くる人々」など。

続きを読むには……

『セメント樽の中の手紙』（角川文庫）など。

教科書採録度★★★★

蠅

横光利一

一

真夏の宿場は空虚であった。ただ眼の大きな一疋《いっぴき》の蠅《はえ》だけは、薄暗い厩《うまや》の隅《すみ》の蜘蛛《くも》の巣にひっかかると、後肢《あとあし》で網を跳ねつつ暫《しば》くぶらぶらと揺れていた。と、豆のようにぼたりと落ちた。そうして、馬糞《ばふん》の重みに斜めに突き立っている藁《わら》の端から、裸体にされた馬の背中まで這《は》い上《あが》った。

二

馬は一条《ひとすじ》の枯草を奥歯にひっ掛けたまま、猫背《ねこぜ》の老いた馭者《ぎょしゃ》の姿を捜している。

馭者は宿場《しゅくば》の横の饅頭屋《まんじゅうや》の店頭《みせさき》で、将棋《しょうぎ》を三番さして負け通した。

「何《な》に？　文句をいうな。もう一番じゃ。」……

読みのポイント

横光利一は、「新感覚派」と呼ばれることになる文学運動において中心的な役割を果たした作家だった。その野心的な表現は、このごく初期の作品『蝿』（大正一二年）にも現れている。当時、流行していた映画の技法を生かしたものだ。

人々を乗せた乗合馬車が、御者が居眠りをしていたために崖下《がけした》に墜落した。それをはじめから終わりまで見ていたのは「眼の大きな一疋の蝿」だけだったという無惨な話である。カメラアイを小さな蝿という生きものとして書くことで、かえってカメラアイの無機質な観察の異様さが浮かび上がった。

横光利一は「人間たちのみじめな運命の背後には性慾《せいよく》がある」と語ったと伝えられている。繰り返される「饅頭」がそれである。御者は「誰も手をつけない蒸し立ての饅頭に初手をつけるということが（中略）最高の慰めとなっていたのであった」。言うまでもなく「饅頭」は女性器の隠語であり、これは御者の処女趣味を言っている。性慾は生慾でもあるから、『蝿』は近代的な無機質な観察の残酷さを告発した小説かもしれない。

よこみつ・りいち
（一八九八〜一九四七）
福島県生れ。早大高等予科在学中から小説を書き始める。一九二三年、「文藝春秋」の同人となり、注目を集めた。ほかの作品に「日輪」「上海《シャンハイ》」など。

続きを読むには……

『日輪・春は馬車に乗って 他八篇』（岩波文庫）など。

教科書採録度★★★★

信号

ガルシン　神西清 訳

セミョーン・イヴァーノフは鉄道の線路番を勤めていた。彼の番小屋から一方の駅までは十二露里、もう一つの駅までは十露里あった。四露里ほどの土地に去年大きな紡績工場が立った。その高い煙突が遥《はる》かの森蔭から黒々とのぞいていたが、それより近くには、両隣の番小屋を別にすると、森番の家ひとつなかった。

セミョーン・イヴァーノフは病身の、生活に疲れ切った男であった。九年前に彼は戦争に出たことがある。ある将校の従卒を勤めて、遠征の辛苦をつぶさに主人と共にしたのである。飢えに苦しみ、寒さに凍え、炎天に熌《や》き焦がされ、その炎天や寒空をついて、日に四十露里から五十露里の強行軍をしたものである。銃火の下に身をさらしたこともあったが、幸いとかすり傷ひとつ負わずに済んだ。ある時などは彼の聯隊《れんたい》が第一線に立ったこともある。そのときは、まる一週間ぶっ通しにトルコ軍と銃火を交《まじ》えた。味方が戦線を敷いている場所と、……

読みのポイント

ガルシンは、帝政ロシア時代の末期に現れて、短い生涯の中でいくつかの忘れられない短篇を残した作家である。『信号』は、オスマン帝国との戦争に駆り出され、帰省したら家族は死んでいて、妻と二人きりになった男の物語。偶然、駅長をしている昔の上官に拾われて線路番に雇われたが、若い線路番が待遇に不満を抱いてレールを外れるようにしてしまったのを、自分の腕を切り裂いて、血で染めたハンカチを棒に括《くく》り付けて振り、何とか汽車を止めて、多くの乗客を大惨事から救ったのだった。

小学校の教科書では後半の汽車を止めるところが収録されていて、感動して読んだことをよく覚えている。いま思えば「命がけで汽車を止めるなんて、とても立派な人だと思いました」以外の感想は言えないような、まるっきり道徳の教材である。それはそれで、少しはまっとうな少年ができあがるのならいいとしよう。しかし全体の読みどころは、善良な庶民に貧困を強いる腐りきった役人と帝国の末期症状を告発したところにありそうだ。いつの時代でも、庶民をここまで追い込んだら、「国家」は末期である。

ガルシン　フセヴォロド・ミハイロヴィチ（一八五五〜一八八八）ロシアの作家。一八七七年、戦場での体験をもとに書いた「四日間」で注目を集める。ほかの作品に「事件」「紅い花」など。

続きを読むには……

『紅い花　他四篇』（岩波文庫）など。

教科書採録度
★★★

それから
へ
旅愁

教科書採録度★★★

それから

夏目漱石

誰か慌《あわ》ただしく門前を馳《か》けて行く足音がした時、代助《だいすけ》の頭の中には、大きな俎下駄《まないたげた》が空《くう》から、ぶら下っていた。けれども、その俎下駄は、足音の遠退《とおの》くに従って、すうと頭から抜け出して消えてしまった。そうして眼が覚めた。

枕元《まくらもと》を見ると、八重の椿《つばき》が一輪畳の上に落ちている。代助は昨夕《ゆうべ》床の中で慥《たし》かにこの花の落ちる音を聞いた。彼の耳には、それが護謨毬《ゴムまり》を天井裏から投げ付けた程に響いた。夜が更《ふ》けて、四隣《あたり》が静かな所為《せい》かとも思ったが、念のため、右の手を心臓の上に載せて、肋《あばら》のはずれに正しく中《あた》る血の音を確かめながら眠《ねむり》に就いた。

ぼんやりして、少時《しばらく》、赤ん坊の頭程もある大きな花の色を見詰めていた彼は、急に思い出した様に、寐《ね》ながら胸の上に手を当てて、又心臓の鼓動を検し始めた。寐《ね》ながら胸の脈を聴いてみるのは彼の近来の癖になっている。動悸《どうき》は相変らず落ち付いて確《たしか》に打っていた。彼は胸に手を当てたまま、この鼓動の下《もと》に、……

読みのポイント

『それから』は、二つの物語を巧みに織り上げたような小説だ。偶数章が代助と三千代の物語で、奇数章が代助と長井家の物語で構成されているのである。

一つは、長井代助と平岡三千代の道ならぬ恋の物語。代助と三千代の物語は、恋を契機に近代的自我に目覚める物語として読まれてきた。これは、森鷗外『舞姫』と同じ読まれ方である。恋によって「本来」の自分=近代的自我を取り戻す物語である。

もう一つは、代助と長井家の家の物語だ。明治民法では、家長は家族を扶養する義務があった。長井家では父の得《とく》が隠居して、代替わりの時期を迎える準備に入った。扶養の義務は兄に移る。そこで、代助を外に出そうとする。長井家では、跡取りには「誠」の字を織り込む慣習がある。得の幼名は誠之進《せいのしん》、兄は誠吾、兄の子は誠太郎。次男「代助」は、長男に事故があったときの「代わりの者《スペアー》」だ。どうせ捨てられるなら自分から出ていこうと思ったのか。だから、代助は危険を冒して三千代を選ぶのではなかったか。『それから』は、明治民法下における次男の宿命を書いた物語でもあった。

なつめ・そうせき
21頁参照。

続きを読むには……

『それから』（新潮文庫）など。

教科書採録度★★★

レ・ミゼラブル

ユゴー　佐藤朔訳

一八一五年のこと、シャルル・フランソワ・ビヤンヴニュ・ミリエル氏は、ディーニュの司教だった。七十五歳ぐらいの老人で、一八〇六年以来ディーニュの司教職にあった。

こうした細かいことは、これから述べる物語の内容そのものには少しも関係はないが、この司教区に着いたころの彼に関する噂《うわさ》や話をこの際述べることは、何事も正確にというためだけであっても、おそらく無駄《むだ》ではあるまい。真偽はともかく誰かについての噂は、その人の生涯《しょうがい》に、ことにその運命にとって、その人の行為と同じくらい重要な位置を占めていることが多い。ミリエル氏はエクスの高等法院の評議員の息子で、身分の高い法官の家柄《いえがら》である。父は、自分の職を継がせるつもりで、高等法院の家庭にかなりひろまっていた習慣によって、彼をごく若いうちに、十八歳か二十歳で、結婚させた、という噂だった。シャルル・ミリエルは、……

ユゴー　ヴィクトル
（一八〇二～一八八五）
フランスの詩人、小説家。一八二二年に詩集『オードと雑詠集』を刊行した。ほかの作品に『静観詩集』「海に働く人々」など。

読みのポイント

フランス革命後の動乱を背景に、ジャン・ヴァルジャンという一人の男の運命を書いた一大巨編である。教科書に収録されるのは、あのエピソードである。

ジャン・ヴァルジャンは、貧しさゆえにはたらいた小さな盗みから一九年の間、獄につながれた。刑期を終えても、彼を泊めてくれるところはない。途方に暮れた彼を泊めてくれたのは、ある教会だった。ところが、彼は教会にあった銀の食器を盗んでしまう。彼を捕らえた憲兵に司教は、食器は彼が「もらった」と言ったでしょう、あなたがたが盗んだと思ったのは「誤解」ですと言ったのだ。ジャン・ヴァルジャンはこれで改心し、数奇な運命がはじまる。

この物語は、第一章まるごとカトリックの司教のことから語りはじめられ、最後はジャン・ヴァルジャンが修道院で息を引き取るところで終わる。これはフランス革命の旗印「自由・平等・博愛」とカトリックの精神とを融和させる宗教小説ではなかったか。この二つが不可分に結びついたから、フランスには「自由に命をかける」文化が根づいている。自由は残酷だと知っている国なのだ。

続きを読むには……

『レ・ミゼラブル』（全五巻、新潮文庫）など。

教科書採録度★★★

杜子春

芥川龍之介

或《ある》春の日暮です。

唐《とう》の都洛陽《らくよう》の西の門の下に、ぼんやり空を仰いでいる、一人の若者がありました。

若者は名を杜子春《とししゅん》といって、元は金持の息子でしたが、今は財産を費《つか》い尽して、その日の暮しにも困る位、憐《あわれ》な身分になっているのです。

何しろその頃洛陽といえば、天下に並ぶもののない、繁昌《はんじょう》を極《きわ》めた都ですから、往来にはまだしっきりなく、人や車が通っていました。門一ぱいに当っている、油のような夕日の光の中に、老人のかぶった紗《しゃ》の帽子や、土耳古《トルコ》の女の金の耳環《みみわ》や、白馬《しろうま》に飾った色糸の手綱《たづな》が、絶えず流れて行く容子《ようす》は、まるで画のような美しさです。

しかし杜子春は相変らず、門の壁に身を凭《もた》せて、ぼんやり空ばかり眺《なが》めていました。空には、もう細い月が、うらうらと靡《なび》いた霞《かすみ》の中に、まるで爪《つめ》の痕《あと》かと思う程、かすかに白く浮んでいるのです。……

読みのポイント

市井《しせい》に生きる人への優しいまなざし、芥川を生んで間もなく心を病んだ母への愛慕、そして後年になって芥川を悩ませたシニシズム。この作品には芥川龍之介のすべてが詰まっている。興味深いのは、オリエンタリズムの色彩の濃い中国への憧憬《しょうけい》の念である。この時期の文人の多くは、中国に対して同じような憧《あこが》れを持った。中国は古代から日本の「先生」だったからである。だから、日清《にっしん》戦争は日本が中国から自立するための戦争でもあった。自立しても敬意を忘れなければよかったのだが。

　杜子春は大金を蕩尽《とうじん》して人生を学び、自分探しをはじめたようだ。「お母さん」と叫んだ杜子春は、自分の中の「人間らしい」心を探し当てた。それが彼の探し当てた「本当の自分」であるかのように読める。それはめでたいが、彼の前に引き出されたのは、父母の顔をした「二匹の獣」だったはずだ。なぜ母だけが杜子春に語りかけ、杜子春は「お母さん」とだけ叫んだのだろうか。「母なる祖国」とは言っても、「父なる祖国」とは言わない。これが日本文化なのだろうか。この作品に感動した人は、思いっきり日本人なのかも。

あくたがわ・りゅうのすけ
19頁参照。

続きを読むには……

『蜘蛛の糸・杜子春』（新潮文庫）など。

教科書採録度 ★★★

川とノリオ

いぬいとみこ

町はずれをいく、いなかびたひとすじの流れだけれど、その川はすずしい音をたてて、さらさらとやすまず流れている。日の光のチロチロゆれる川ぞこに、茶わんのかけらなどしずめたまま。

春にも夏にも、冬の日にも、ノリオはこの川の声をきいた。かあちゃんの生まれるもっとまえ、いや、じいちゃんの生まれるもっとまえから、川はいっときのたえまもなく、この音をひびかせてきたのだろう。山の中できくせせらぎのような、なつかしい、むかしながらの川の声を――

早春

あったかいかあちゃんのはんてんの中で、ノリオは川のにおいをかいだ。

かあちゃんの手が、せっせとうごくたびに、……

読みのポイント

児童文学のジャンルに属するだろうが、まるで散文詩である。それは改行の多い書き方から受ける印象であり、川が大きくノリオを包み込む存在としてあるような自然観から来るものでもある。最後は「川は日の光を照りかえしながら、いっときもやすまず流れつづける」と締め括《くく》られる。『方丈記』の冒頭と通じるものがある。川は無常観という日本文化を伝え続ける。

読み進めて「「追いかけっこ」は、戦いの日のあいだつづいていた」という文に出会うまでは、これがあの戦争の日々のことだとは気づかない。ノリオは母親を広島の原爆で亡《な》くし、父親を戦地で亡くし、その後は祖父に育てられる。作者の言葉を使えば「反原爆」の思いを書いた作品で、教科書編集の立場からは「平和教材」である。語り手はいわば神の視点からノリオを語ってはいるが、川のこと以外は、ノリオの知ることとしか語らない。だから、戦争の悲惨さも直接は語られていない。その意味では、『川とノリオ』は「川」が前面に出すぎているかもしれない。だから、ノリオの不幸に対する怒りは、読者が引き受けなければならないのである。

いぬい・とみこ
（一九二四〜二〇〇二）
東京生まれ。平安女学院保育科卒。保母になったのち、岩波書店に勤めて子どもの本の編集に携わりながら執筆を始める。一九六五年、「うみねこの空」で野間児童文芸賞受賞。ほかの作品に「ツグミ」「雪の夜の幻想」など。

続きを読むには……
『川とノリオ』（理論社）など。

教科書採録度★★★

春の日のかげり

島尾敏雄

長崎の町を取り巻く山の一つに、唐八景《トウハッケイ》と呼ばれるなだらかな丘の続いた景色のよい草山があります。

町なかから歩いて二時間とかからないし、その山頂からは、北の方の大村湾や、彼杵《ソノギ》半島の起伏がのぞまれ、南の方には地続きの蛇のうねりのような野母《ノモ》岬のたたずまいや、又海をへだてた天草の島々。東に眼を移せば、薄く煙雲をたなびかせた雲仙のあでやかな姿があり、うしろを振り向いて、西の水平線の彼方を見渡すと、五島列島の島々があるかなきかに紫に霞んでいようという、四方に自由に開けた気分のよい場所なので、長崎の町の人々は、休みの日などよくそこに出かけて行って、お弁当の包みを広げるのを楽しみにしているところです。

殊に春の季節ののびやかな、ひとをうっとりさせるような感じは格別なものです。つつじが咲き乱れ、わらびは萌え出て、……

読みのポイント

親許《おやもと》を離れて長崎の学校に通う「私」は自分を変えたくて柔道部に入る。そこには年下ながら技も体も美しいキャプテンがいた。ある日のピクニックで二人の少女を見つけたキャプテンは「突撃」と号令をかけた。ところが、「私」がキャプテンに捧《ささ》げるようなつもりで少女の肩をつかまえたときには、みんなはもう引き返していた。「私」はそのことでその鼈甲屋《べっこうや》の少女と会話するようになったが、いつのまにか少女はいなくなってしまった。

この昔話を「私」が「ある軽い後悔のような気分」とともに忘れることができないのは、言葉にしてはならないことだったからだ。これは『性に眼覚める頃』（室生犀星《むろうさいせい》）である。はじめ「私」はキャプテンに魅力を感じ、その彼に少女を捧げることで、彼との絆《きずな》を作ろうと思った。これはホモソーシャルだ。その関心が少女へ向かった。ここには二つの隠し事がある。一つは、実は「私」はキャプテンに性的な魅力を感じていたこと。もう一つは、それが少女に向かったとき、はじめて「私」は「性に眼覚めた」と感じることができたことだ。これが性にまつわる近代日本の文化なのだ。

しまお・としお
（一九一七～一九八六）
横浜市生れ。九州帝大東洋史科卒。戦後、本格的に小説を書き始め「出孤島記」で第一回戦後文学賞受賞。ほかの作品に「夢の中での日常」「死の棘《とげ》」など。

続きを読むには……
『島尾敏雄全集　第五巻』（晶文社）など。

教科書採録度★★★

花いっぱいになぁれ

松谷みよ子

ある日のことでした。
学校の子どもたちが、ふうせんにお花のたねをつけてとばしました。
「お花をうえましょう。お花をいっぱいさかせましょう。」
こういうお手紙もつけました。
それからみんなでいっせいに、
「花いっぱいになぁれ、わーい。」
といって、ふうせんをとばしました。
ふうせんは、ふわふわとんでいきました。
あちらの家やこちらの家でひろわれるまで、ふわふわとんでいきました。
そのふうせんのひとつが、どうまちがえたのか、町をとおりぬけ、村をとおりぬけ、
お山までとんできました。……

読みのポイント

ひまわりの種を介して子供たちと狐《きつね》のコンとがつながり、さらには子供たちが自然ともつながる話。いかにも小学校の低学年の国語教科書に収録されそうな要素が満載だ。学校の子供たちは風船に種をつけて飛ばした。その一つがあまりに遠くまで飛んだので「さすがにくたびれて」山に「おりてきました」。擬人法である。小学校低学年の国語では、人間以外の何かを理解するためには、とにかく擬人法を用いればいいことになっているようだ。「おりてきました」と語られるので、語り手は山にいることになる。読者はこの語り手に寄り添って読むから、こうした小さな語りの工夫が、子供たち読者を自然に山の世界に導く。

風船を見つける狐のコンは、当然のことのように擬人化されている。ただし、人間と同じような知識や智慧《ちえ》はない。それがコンの幼さの徴《しるし》だ。擬人化された動物が人間と対峙《たいじ》するときには、知識や智慧が人間と同じか、人間以上に設定される。最後に、コンがそれと知らずに咲かせたひまわりの花が、子供たちと山の自然とを結ぶ。「自然に帰ろう」は、国語のもっとも重要なメッセージである。

まつたに・みよこ
（一九二六〜二〇一五）
東京生れ。東洋高女卒。坪田譲治に師事する。一九六〇年、「龍《たつ》の子太郎」で講談社児童文学新人賞などを受賞。ほかの作品に「ちいさいモモちゃん」「ふたりのイーダ」など。

続きを読むには……

『松谷みよ子おはなし集2』（ポプラ社）など。

教科書採録度★★★

野火

大岡昇平

私は頰《ほお》を打たれた。分隊長は早口に、ほぼ次のようにいった。

「馬鹿《ばか》やろ。帰れっていわれて、黙って帰って来る奴《やつ》があるか。帰るところがありませんって、がんばるんだよ。そうすりゃ病院でもなんとかしてくれるんだ。中隊にゃお前みてえな肺病やみを、飼っとく余裕はねえ。見ろ、兵隊はあらかた、食糧収集に出動している。味方は苦戦だ。役に立たねえ兵隊を、飼っとく余裕はねえ。病院へ帰れ。入れてくんなかったら、幾日でも坐《すわ》り込むんだよ。まさかほっときもしねえだろう。どうでも入れてくんなかったら――死ぬんだよ。手榴弾《しゅりゅうだん》は無駄《むだ》に受領してるんじゃねえぞ。それが今じゃお前のたった一つの御奉公だ」

私は喋《しゃべ》るにつれ濡《ぬ》れて来る相手の唇《くちびる》を見続けた。致命的な宣告を受けるのは私であるのに、何故《なぜ》彼がこれほど激昂《げっこう》しなければならないかは不明であるが、多分声を高めると共に、感情をつのらせる軍人の習性によるものであろう。……

読みのポイント

『野火』が戦争文学であることは否定しようもないが、戦争の悲惨さを告発するのが主要なテーマとは思えない。敗走を続ける極限状況において「人間」とは何かを問いかける、戦後文学に強い影響を与えた実存主義的な小説として捉《とら》えておくべきだろう。戦後派と呼ばれる作家の戦争文学は、多かれ少なかれこういう傾向にある。

「私」・田村一等兵は結核を病み、野戦病院からも所属する部隊からも放り出される。敗走中にフィリピン人女性を射殺し、同じく敗走する永松から「猿の肉」だと言われて、人肉だとうすうす気づいていながら、食べてしまう。問題は、「私」の悩み方にある。人を殺し、永松から渡された人肉を食べた。しかし自分が撃った永松を食べなかったことに、意識は集中する。もし人を殺しても許され、人肉を食べても許されるが、自分が殺した人間の肉を食べることだけが許されないとしたら、その基準はどこにあるのか。そこにあるのは「ピュアな私」の感覚だけだろう。しかし、殺人は最も重い罪ではないだろうか。「私」の悩みに疑問を感じていいはずだ。

おおおか・しょうへい　81頁参照。

続きを読むには……

『野火』（新潮文庫）など。

教科書採録度★★★

津軽

太宰 治

或《あ》るとしの春、私は、生れてはじめて本州北端、津軽半島を凡《およ》そ三週間ほどかかって一周したのであるが、それは、私の三十幾年の生涯《しょうがい》に於《お》いて、かなり重要な事件の一つであった。私は津軽に生れ、そうして二十年間、津軽に於いて育ちながら、金木《かなき》、五所川原《ごしょがわら》、青森、弘前《ひろさき》、浅虫《あさむし》、大鰐《おおわに》、それだけの町を見ただけで、その他の町村に就いては少しも知るところが無かったのである。

金木は、私の生れた町である。津軽平野のほぼ中央に位し、人口五、六千の、これという特徴もないが、どこやら都会ふうにちょっと気取った町である。善く言えば、水のように淡泊であり、悪く言えば、底の浅い見栄坊《みえぼう》の町という事になっているようである。それから三里ほど南下し、岩木川に沿うて五所川原という町が在る。この地方の産物の集散地で人口も一万以上あるようだ。青森、弘前の両市を除いて、人口一万以上の町は、この辺には他《ほか》に無い。善く言えば、活気のある町であり、……

だざい・おさむ
25頁参照。

読みのポイント

戦争も末期になった昭和一九年の春、太宰治は「津軽風土記《ふどき》」の執筆依頼を受けて、生まれ故郷の津軽を三週間旅行した。その旅行記が『津軽』である。「満洲《まんしゅう》の兵隊たちのために発行されている或る雑誌に短篇小説を一つ送る事を約束していて」とあり、「かしこくも明治大帝の教育に関する大御心《おおみこころ》はまことに神速に奥州の津々浦々にまで浸透して」ともあって、この「津軽風土記」の公の位置づけがわかる仕掛けになっている。しかし、太宰治はそれを個人的な旅行記にも読めるように仕立て上げた。

金木の旧家に生まれた太宰治＝津島修治は、その家に流れる淫蕩《いんとう》な血を恥じ、その階級に負い目を感じていた。そのために、かなり早い時期から社会主義運動に関心を持っていた。『人間失格』では自己否定したが、「女中」として一四歳の時から津島修治を育てた越野たけと再会した場面で終わる『津軽』はちがっている。「私は、たけの子だ」と書き、「生れてはじめて心の平和を体験した」と書いた。社会主義運動では越えられなかった階級を津軽旅行で越えたと言いたげに、太宰治は自己肯定の言葉を書き付けたのだ。

続きを読むには……

『津軽』（新潮文庫）など。

教科書採録度★★★

注文の多い料理店

宮沢賢治

　二人の若い紳士《しんし》が、すっかりイギリスの兵隊のかたちをして、ぴかぴかする鉄砲《てっぽう》をかついで、白熊《しろくま》のような犬を二疋《ひき》つれて、だいぶ山奥《やまおく》の、木の葉のかさかさしたとこを、こんなことを云《い》いながら、あるいておりました。

「ぜんたい、ここらの山は怪《け》しからんね。鳥も獣《けもの》も一疋も居やがらん。なんでも構わないから、早くタンタアーンと、やって見たいもんだなあ。」

「鹿《しか》の黄いろな横っ腹なんぞに、二三発お見舞《みまい》もうしたら、ずいぶん痛快だろうねえ。くるくるまわって、それからどたっと倒《たお》れるだろうねえ。」

　それはだいぶの山奥でした。案内してきた専門の鉄砲打ちも、ちょっとまごついて、どこかへ行ってしまったくらいの山奥でした。

　それに、あんまり山が物凄《ものすご》いので、その白熊のような犬が、二疋いっしょにめまいを起して、しばらく吠《うな》って、それから泡《あわ》を吐《は》いて死んでしまいました。……

読みのポイント

このブラック・ファンタジー（?）が、大人にとって痛快なのは、俗物が実にアホで、みじめな体験をするからである。彼らは自分の猟犬が死んでも、それを「二千四百円の損害だ」というように、金銭にしか換算しない。「西洋料理店」に入って数々の怪しげな「注文」を読んでも、「貴族とちかづきになるかも知れない」と期待していて、それが彼らの思考を停止させている。いや、もともと思考など持ち合わせていないのだろうと思わせる。だから、彼らにふさわしい懲《こ》らしめだという読後感がある。もちろん、読者は彼らの中に自分を見ようとはしない。元に戻らない「紙くずのようになった」顔が、二人を笑った自分の顔だとは気がつかない。だから、ブラック・ファンタジーなのだ。

　子供がさらに喜ぶのは、繰り返しである。少しずつエスカレートしながら奇妙な「注文」が繰り返される。何かありそうだという予感が、読者を楽しませる。このあたりの呼吸はみごとだ。最後は死んだはずの猟犬に救われて、ホッとする。二人が救われたからではない。猟犬が生きていたからである。子供は、そういうものだ。

みやざわ・けんじ
（一八九六〜一九三三）
岩手県生れ。盛岡高等農林学校卒。花巻農学校教諭。生前に刊行されたのは詩集『春と修羅』、童話集『注文の多い料理店』のみ。ほかの作品に「銀河鉄道の夜」など。

続きを読むには……

『注文の多い料理店』（新潮文庫）など。

教科書採録度★★★

夏の花

原 民喜

私は街に出て花を買うと、妻の墓を訪れようと思った。ポケットには仏壇からとり出した線香が一束あった。八月十五日は妻にとって初盆《にいぼん》にあたるのだが、それまでこのふるさとの街が無事かどうかは疑わしかった。恰度《ちょうど》、休電日ではあったが、朝から花をもって街を歩いている男は、私のほかに見あたらなかった。その花は何という名称なのか知らないが、黄色の小瓣の可憐《かれん》な野趣を帯び、いかにも夏の花らしかった。

炎天に曝《さら》されている墓石に水を打ち、その花を二つに分けて左右の花たてに差すと、墓のおもてが何となく清々《すがすが》しくなったようで、私はしばらく花と石に視入《みい》った。この墓の下には妻ばかりか、父母の骨も納っているのだった。持って来た線香にマッチをつけ、黙礼を済ますと私はかたわらの井戸で水を呑《の》んだ。それから、饒津《にぎつ》公園の方を廻って家に戻ったのであるが、その日も、その翌日も、私のポケットは線香の匂《にお》いがしみこんでいた。原子爆弾に襲われたのは、その翌々日のことであった。……

読みのポイント

『夏の花』は原爆文学の原点をなすような作品で、「夏の花」を手に妻の墓参りに行ったその翌々日に、広島で原爆に襲われた体験を書いたものだ。原民喜は小説家である前に詩人でもあったから、この生硬な文章で書かれた作品にも散文詩のような趣がある。書かれたのは一九四五年の秋だが、占領軍の検閲の関係で、発表できたのは一九四七年だった。

その時、「私」は「厠《かわや》」にいたために命拾いした。気持ちがハッキリしてくると「たしか、こういう光景は映画などで見たことがある」と感じる。以後、「私」はこの生き地獄のような「光景」の冷酷な観察者となる。「私」は「アッシャ家の崩壊」という言葉を思い浮かべ、「超現実派の画の世界」のように思うのだ。はじめは「助けてえ」という声の中を歩き続けるが、しだいにおびただしい死体の中を歩くようになる。「兵隊」は何の役にも立たず、知人が妻を捜すために死体の顔を見て歩きまわる場面は、凄惨《せいさん》極まりない。「私はこの空襲の真相を殆《ほとん》ど知ってはいなかった」とあるが、「真相」はいまもすべてはわかっていない。それが戦争というものだ。

はら・たみき
（一九〇五〜一九五一）
広島市生れ。慶応義塾大学英文科卒。一九三五年、作品集『焔』を自費出版する。ほかの作品に「心願の国」など。

続きを読むには……

『夏の花・心願の国』（新潮文庫）など。

教科書採録度 ★★★

浄瑠璃寺の春

堀 辰雄

この春、僕はまえから一種の憧《あこが》れをもっていた馬酔木《あしび》の花を大和路《やまとじ》のいたるところで見ることができた。

そのなかでも一番印象ぶかかったのは、奈良へ着いたすぐそのあくる朝、途中の山道に咲いていた蒲公英《たんぽぽ》や薺《なずな》のような花にもひとりでに目がとまって、なんとなく懐《なつ》かしいような旅びとらしい気分で、二時間あまりも歩きつづけたのち、漸《ようや》っとたどりついた浄瑠璃寺《じょうるりじ》の小さな門のかたわらに、丁度いまをさかりと咲いていた一本の馬酔木をふと見いだしたときだった。

最初、僕たちはその何んの構えもない小さな門を寺の門だとは気づかずに危く其処《そこ》を通りこしそうになった。その途端、その門の奥のほうの、一本の花ざかりの緋桃《ひもも》の木のうえに、突然なんだかはっとするようなもの、――ふいとそのあたりを翔《か》け去ったこの世ならぬ美しい色をした鳥の翼のようなものが、自分の目にはいって、……

読みのポイント

明治維新後に文明開化一辺倒になって、仏教はもう古いと廃仏毀釈《きしゃく》などがあった。そんな嵐《あらし》が去った後に、たとえば和辻《わつじ》哲郎が『古寺巡礼』で、亀井《かめい》勝一郎が『大和古寺風物誌』で奈良を再発見する仕事を行った。昭和一八年に書かれたこの随筆は、こうした〈奈良＝古代日本〉再発見の系譜に位置づけることができる。また、日本の多くの詩人や作家は、晩年「日本回帰」と呼ばれる傾向を見せたが、戦時色が濃くなった時期だったから、堀辰雄の「日本回帰」は時節柄にもあっていたかもしれない。

　随筆は、馬酔木の花に目をとめたら、偶然にも浄瑠璃寺を発見したように書かれている。「再発見」の構図そのものである。夫婦に寺の若い女性を配して、この古寺が生きていることを印象づけるのに成功している。しかしその一方で、自然を超えようとして人間の作ったもの（古寺）がほぼ「廃亡」して自然に融《と》けこみ、「第二の自然」となるとも言う。それが「廃墟《はいきょ》」の美学だと言う。少し前に都市を「廃墟の美」と形容した時期があったが、堀辰雄はこの時期にもうそれを発見していたのだ。

ほり・たつお
（一九〇四～一九五三）
東京生れ。東京帝大国文科卒。一高在学中より室生犀星、芥川龍之介の知遇を得る。一九三〇年、芥川の死をモチーフに「聖家族」を発表。ほかの作品に「美しい村」「風立ちぬ」など。

続きを読むには……

『大和路・信濃路』（新潮文庫）など。

教科書採録度★★★

オツベルと象

宮沢賢治

　オツベルときたら大したもんだ。稲扱器械《いねこき》の六台も据《す》えつけて、のんのんのんのんのんのんと、大そろしない音をたててやっている。

　十六人の百姓《ひゃくしょう》どもが、顔をまるっきりまっ赤にして足で踏《ふ》んで器械をまわし、小山のように積まれた稲を片っぱしから扱《こ》いて行く。藁《わら》はどんどんうしろの方へ投げられて、また新らしい山になる。そこらは、籾《もみ》や藁から発《た》ったこまかな塵《ちり》で、変にぼうっと黄いろになり、まるで沙漠《さばく》のけむりのようだ。

　そのうすくらい仕事場を、オツベルは、大きな琥珀《こはく》のパイプをくわえ、吹殻《ふきがら》を藁に落さないよう、眼《め》を細くして気をつけながら、両手を背中に組みあわせて、ぶらぶら往《い》ったり来たりする。

　小屋はずいぶん頑丈《がんじょう》で、学校ぐらいもあるのだが、何せ新式稲扱器械が、六台もそろってまわってるから、のんのんのんのんふるうのだ。……

読みのポイント

オツベル（「オッペル」とも）は、「新式稲扱器械」を六台使う地主のようだ。物語は「オツベルときたら大したもんだ」とはじまって、このフレイズは物語中で何度か繰り返される。使われ方を見ると、どうやら皮肉な調子を含んでいる。

オツベルのところへ「どういうわけか」、白象がやって来た。オツベルはそれをこき使うので、白象は憔悴《しょうすい》しきってしまった。ついには森の象たちに窮状を訴えた。白象を助けようと、たくさんの象がオツベルの家を襲って、オツベルを踏みつぶしてしまった。

これを資本家と労働者の関係の寓話《ぐうわ》と読んでもかまわないが、不思議なのはオツベルのところで働く「百姓」たちが白象を怖《おそ》れるのに、オツベルはまったく怖れないことである。オツベルにとって白象はまったき「他者」だが、「他者」と「他者」同士の関係が労働というコミュニケーションを通して成立してしまうのだ。だから、オツベルを失った白象は「さびしく」笑ったのだろう。そして、「……ある牛飼いがものがたる」という注記は、そのことがわかる人がいることを示している。単なる虚無ではないようだ。

みやざわ・けんじ
109頁参照。

続きを読むには……
『新編　銀河鉄道の夜』（新潮文庫）など。

教科書採録度★★★

はだかの王さま

アンデルセン　矢崎源九郎 訳

いまからずっとずっとむかしのこと、ひとりの皇帝がいました。皇帝は、あたらしい、きれいな着物がなによりも好きでした。持っているお金をのこらず着物に使って、いつもいつも、きれいに着かざっていました。皇帝は、自分のあたらしい着物を人に見せたいと思うときのほかは、兵隊のことも、芝居《しばい》のことも、森へ遠乗りすることも、なにからなにまで、きれいさっぱり忘れているのでした。

とにかく、皇帝は、一日のうち一時間ごとに、ちがった着物に着かえるのです。ですから、よその国ならば、王さまは、会議に出ていらっしゃいます、というところを、この国ではいつも、「皇帝は、衣装部屋《いしょうべや》にいらっしゃいます」と、言いました。——

皇帝の住んでいる大きな町は、たいへんにぎやかなところでした。毎日毎日、よその国の人たちが大ぜい来ました。

ある日のこと、ふたりのうそつきがやってきました。ふたりは、……

読みのポイント

昔ある国の皇帝が二人の嘘《うそ》つきに騙《だま》されて、裸で街中を行列する羽目になった、あの有名な話だ。二人が嘘つきであることははじめからわかっているのだから、あとの楽しみは誰が「王様は裸だ」と言うかだけにある。それまでのお馬鹿《ばか》さんたちの「見える、見える」の繰り返しは、子供の読者を十分楽しませる。

大人には寓話《ぐうわ》として読まれてしまう。「権力者は裸だ」とかなんとか。人は、この「権力者」に思い思いの何かを代入する。現代では「消費者」や「大衆」だろうか。これがふつうの読み方だろう。

昔は身分によって着るものや衣服の色が決められていたから、大きな流行は起きない。いまは毎年「新しいもの」が流行する。新しければそれでいいのだ。ファッションの世界には「変わらないためには、すべてを変えなければならない」という格言まである。そう、私たちは単に流行の衣服を着ているのではない。それと気づかずに、「自由」という思想を身に纏《まと》っているのだ。だから、王様が着ているのは究極のファッション。そして、二人の嘘つきはデザイナーだ。私たちは「嘘」を楽しむことができるほど「自由」なのだ。

アンデルセン　ハンス・クリスチャン（一八〇五〜一八七五）デンマークの作家。自費出版したユーモラスな旅行記「ホルメン運河からアマーア島東端までの徒歩旅行」で注目を集め、その後童話を書き始める。ほかの作品に「人魚姫」「マッチ売りの少女」など。

続きを読むには……

『マッチ売りの少女　アンデルセン童話集III』（新潮文庫）など。

教科書採録度 ★★★

五重塔

幸田露伴

木理《もくめ》美《うるわ》しき槻胴《けやきどう》、縁にはわざと赤樫《あかがし》を用ひたる岩畳作《がんじょうづく》りの長火鉢《ながひばち》に対《むか》ひて話し敵《がたき》もなく唯《ただ》一人、少しは淋《さび》しさうに坐《すわ》り居る三十前後の女、男のやうに立派な眉《まゆ》を何日《いつ》掃《はら》ひしか剃《そ》つたる痕《あと》の青々と、見る眼も覚むべき雨後の山の色をとどめて翠《みどり》の匂ひ一《ト》しほ床《ゆか》しく、鼻筋つんと通り眼尻《めじり》キリリと上り、洗ひ髪をぐるぐると酷《むご》く丸《まろ》めて引裂《ひっさき》紙《がみ》をあしらひに一本簪《いっぽんざし》でぐいと留《と》めを刺した色気無《いろけなし》の様《さま》はつくれど、憎いほど烏黒《まっくろ》にて艶《つや》ある髪の毛の一《ト》綜二綜《ふさふたふさ》後《おく》れ乱れて、浅黒いながら渋気《しぶけ》の抜けたる顔にかかれる趣きは、年増《としま》嫌《ぎら》ひでも褒《ほ》めずには置かれまじき風体《ふうてい》、我がものならば着せてやりたい好みのあるにと好色漢《しれもの》が随分頼まれもせぬ詮議《せんぎ》を蔭ではすべきに、さりとは外見《みえ》を捨てて堅義《かたぎ》を自慢にした身の装《つく》り方《かた》、柄《がら》の選択《えらみ》こそ野暮《やぼ》ならね高《たか》が二子《ふたこ》の綿入れに繻子《しゅす》襟《えり》かけたを着て何所《どこ》に紅《べに》くさいところもなく、引つ掛けたねんねこばかりは往時《むかし》何なりしやら疎《あら》い縞《しま》の糸織《いとおり》なれど、これとて幾度《いくたび》か水を潜《くぐ》つて来た奴《やつ》なるべし。……

明治二四年から二五年にかけて発表された新聞小説で、幸田露伴文学の最高峰という評価もある。

こうだ・ろはん
（一八六七〜一九四七）
江戸下谷生れ。電信修技学校卒。電信技手として北海道に赴任するが文学を志し帰京。ほかの作品に「風流仏」「連環記」など。

読みのポイント

江戸は谷中《やなか》の感応寺に五重塔が建てられることになった。その話を聞いた「のつそり十兵衛《じゅうべえ》」と渾名《あだな》された世渡りの下手な大工が、どうしても自分が建てたいと和尚《おしょう》に申し出るが、親方の源太と争うことになってしまった。結局十兵衛が指名され、嵐《あらし》にも耐えるみごとな五重塔を建てた。落成式のあと和尚は二人を呼んで、「江都の住人十兵衛これを造り川越源太郎これを成す」と銘を書いた。

親方と弟子の争い、お互いの譲り合い、性狷介《けんかい》な十兵衛の成功、和尚のみごとな捌《さば》き方など、通俗ドラマ的な要素満載である。しかし、この小説の妙味はこれを男たちだけのドラマにしなかったところにありそうだ。そもそも『五重塔』は十兵衛の妻の描写から始まり、次に彼女の視点から夫・十兵衛の腕がたしかなことが語られる。源太も同じで、腕がたしかなことは妻が読者に保証する形だ。二人の男の悩みは妻が受け止めている。だから、これは二組の夫婦の物語でもある。そうでなければ、通俗そのもので終わっただろう。

続きを読むには……
『五重塔』（岩波文庫）など。

教科書採録度★★★

ナイン

井上ひさし

文化放送での仕事が思いがけず早く終ったので、四ッ谷駅前の新道《しんみち》にある中村さんの店に寄ってみた。中村さんは畳屋の主人である。店は小さいが裏手に大きな仕事場を持っている。東京で五輪大会が開かれた年の暮から三年間、わたしはその仕事場の二階を借りていた。八畳の台所付き食堂に六畳が二間と四畳半、そのうえ広い風呂場と風通しのいいベランダまであって、家賃は月四万五千円だった。当時の相場の二割方は安かったとおもうが、それはとにかくそれほどの間取りを上に載せることができるぐらい中村畳店の仕事場は大きいのである。その二階にいまは長男の英夫くん夫婦が住んでいる。

中村さんは王の新政権の発足を報じるスポーツ紙を眺めながら、茶筒に入れた煎餅をかじっていたが、わたしを見ると、

「ここへ来て、おやつをつき合ってやってくださいよ」……

読みのポイント

一九六四年に東京オリンピックが開催された頃、四谷《よつや》の新道少年野球団が新宿区の少年野球大会で準優勝したことがあった。そのナインが三〇歳になったときの後日談だ。その頃の四谷はまだ町が都市から閉じられていて、「自給自足」ができた。しかし、おそらくは東京オリンピックのための開発ラッシュで、しだいに開かれていくことになって、ナインの多くもこの町を出た。これが、物語のあらましと時代背景である。

四番で主将だった正太郎は詐欺師《さぎし》のようになって、みんなも被害に遭っていた。しかし、誰も恨んではいないと言うのだ。決勝戦では相手チームに投手が三人いたが、新道少年野球団はエース一人。しかも午前中の準決勝に続いて、午後に決勝戦を延長一二回まで投げ抜いた。午後のベンチは西日が射《さ》してたまらなく暑かった。そうしたら、正太郎はぐったりしているエース英夫の前に立って日蔭《ひかげ》を作った。他のチームメートもそれに倣《なら》った。その思い出が、彼の詐欺は良い効果をもたらしたと、許すのだ。それがこの町が都市を受け入れるやり方だった。物語の主役は四谷という町なのである。

いのうえ・ひさし
（一九三四〜二〇一〇）
山形県生れ。上智大学仏語科卒。在学中から放送台本を書き始め、「ひょっこりひょうたん島」が人気を博した。「吉里吉里人《きりきりじん》」で日本SF大賞、読売文学賞を受賞。ほかの作品に「父と暮せば」「一週間」など。

続きを読むには……
『ナイン』（講談社文庫）など。

教科書採録度★★★

沈黙

遠藤周作

ローマ教会に一つの報告がもたらされた。ポルトガルのイエズス会が日本に派遣していたクリストヴァン・フェレイラ教父が長崎で「穴吊《あなづ》り」の拷問《ごうもん》をうけ、棄教を誓ったというのである。この教父は日本にいること二十数年、地区長《スペリオ》という最高の重職にあり、司祭と信徒を統率してきた長老である。

稀《まれ》にみる神学的才能に恵まれ、迫害下にも上方《かみがた》地方に潜伏しながら宣教を続けてきた教父の手紙には、いつも不屈の信念が溢《あふ》れていた。その人がいかなる事情にせよ教会を裏切るなどとは信じられないことである。教会やイエズス会の中でも、この報告は異教徒のオランダ人や日本人の作ったものか、誤報であろうと考える者が多かった。

日本における布教が困難な状態にあることは宣教師たちの書簡でローマ教会にももちろんわかっていた。一五八七年以来、日本の太守、秀吉が従来の政策を変えて基督《キリスト》教を迫害しはじめると、……

読みのポイント

フランスの思想家ミシェル・フーコーは、「近代とは、宗教に代わって政治思想が国家の成立原理となった時代だ」という趣旨のことを言ったが、社会主義国家ソビエト連邦が崩壊してから、再び宗教が国家の成立原理となろうとしているいまの世界情勢を見ていると、これはもう過去の言葉になったと思わざるを得ない。宗教は政治そのものなのである。

『沈黙』は、日本に渡るポルトガルの司教にキチジローという名の「ユダ」を配していて、キリスト処刑の再話だということが示されている。しかし、激しい拷問と処刑をまのあたりにした司教は棄教して、しかもキリストの許しを感じる。彼らを拷問する日本の役人も、「形だけ踏めばよい」と繰り返す。『沈黙』は、キリスト教からみごとに政治を脱色している。

現在の歴史学では、「隠れキリシタン」という語に代わって、「潜伏キリシタン」という語が使われるようになった。彼らは勤勉な農民だったから、幕府も見て見ぬ振りをしたのである。これが「日本と申す泥沼」の、鵺《ぬえ》のような懐《ふところ》の深さだった。

えんどう・しゅうさく
（一九二三〜一九九六）
東京生れ。慶應義塾大学仏文科卒。一九五四年、「三田文学」に「アデンまで」を発表、翌年「白い人」で芥川賞を受賞。ほかの作品に「留学」「海と毒薬」など。

続きを読むには……

『沈黙』（新潮文庫）など。

教科書採録度★★★

なめとこ山の熊

宮沢賢治

なめとこ山の熊《くま》のことならおもしろい。なめとこ山は大きな山だ。淵沢《ふちざわ》川はなめとこ山から出て来る。なめとこ山は一年のうち大ていの日はつめたい霧《きり》か雲かを吸ったり吐いたりしている。まわりもみんな青黒いなまこや海坊主《うみぼうず》のような山だ。山のなかごろに大きな洞穴《ほらあな》ががらんとあいている。そこから淵沢川がいきなり三百尺ぐらいの滝《たき》になってひのきやいたやのしげみの中をごうと落ちて来る。

中山街道《かいどう》はこのごろは誰《たれ》も歩かないから蕗《ふき》やいたどりがいっぱいに生えたり牛が遁《に》げて登らないように柵《さく》をみちにたてたりしているけれどもそこをがさがさ三里ばかり行くと向うの方で風が山の頂《いただき》を通っているような音がする。気をつけてそっちを見ると何だかわけのわからない白い細長いものが山をうごいて落ちてけむりを立てているのがわかる。それがなめとこ山の大空滝だ。そして昔《むかし》はそのへんには熊がごちゃごちゃ居たそうだ。ほんとうはなめとこ山も熊の胆《い》も私は自分で見たのではない。……

読みのポイント

なめとこ山の猟師・淵沢小十郎は熊を鉄砲で撃って、その毛皮を町の荒物屋に売ってなんとか生計を立てている。ところが熊は小十郎が好きで、彼のために死んでやる熊までいた。しかしある日、彼は熊に突き飛ばされて死んでしまう。小十郎は熊には申し訳ないと思いながら猟をしている。町の荒物屋はその熊の毛皮を安く買いたたくような「こんないやなずるいやつ」なのだが、高く買えばいいというものではないだろう。このエピソードには、江戸時代の「士農工商」という身分制のなごりがある。荒物屋を卑《いや》しい人間のように書くことで、何が浮かび上がるだろう。それは、殺し／殺されることがもっとも深いコミュニケーションだという思想である。だから小十郎は熊の言葉がわかるのだし、最後は熊たちと同じ場所に「置かれ」るのである。

この物語には語る「僕」がいる。「僕」は単なる語り手ではなく、好き嫌いをはっきり言う。最後にあの世（？）に行った小十郎を見るのも「僕」だ。「僕」は読者の感じ方を代弁しているし、誘導もしている。それでこの不思議な世界にすんなり入れるのだ。

みやざわ・けんじ
109頁参照。

続きを読むには……

『注文の多い料理店』（新潮文庫）など。

教科書採録度★★★

浦島太郎

作者不詳

昔、北前《きたまえ》の大浦《おおうら》に、浦島太郎《うらしまたろう》という人がいました。七十あまって八十に近い、一人の母親と二人でくらしていました。浦島は漁師《りょうし》でした。まだひとり者で、ある日、母親が「浦島よ、浦島よ、わたしが丈夫なうちに嫁もらってくれ」「わしはまだ稼ぎがないから、もらっても食べさすことができん。お母《かあ》があるあいだは、日に日に漁をして、このままで暮すわい」と、浦島はいいました。

やがて月日がたって、母親は八十、浦島は四十の年になりました。秋のころは北風が、まい日まい日吹いて、漁にも行くことが出来ぬ。魚がとれないので金にもならぬ。そこでお母をたべさすことも出来ないようになりました。「明日は天気になればよいのに」と思って、寝ころんでいました。空模様がいつの間にかよくなっていたので、とび起きて筏舟《いかだぶね》にのって魚釣りに行きました。東が明るくなるまで釣っても魚は一つもかからぬ、これは困ったことだと思っていると、……

よく知られた昔話である。漁をしていたら何度も亀が釣れるので、そのたびに逃がしてやっていたら、竜宮城へ招かれて、玉手箱を貰《もら》って三年で帰ってきた。実は何十年も経っていて、玉手箱を開いたとたんに相応の年になったという話だ。

読みのポイント

昔話は「話型」に分類することが学問のように思われていた時代があったが、たとえば木下順二『夕鶴《ゆうづる》』で有名になった「鶴女房」は「異類婚姻譚《たん》」なのか「動物報恩譚」なのか、どちらか一つに決める絶対的な理由はないだろう。分類に無理があるのだ。

もっと大きく「物語の型」としてとらえた方がいい。浦島太郎型なら、現世から異界へ行って現世に戻る物語。これは『鏡の国のアリス』など。かぐや姫型なら、異界から現世に来て異界に戻る物語。これは映画の『E.T.』など。この二つはファンタジーに多い。向こう側（異界的世界）からこちら側（現世的世界）にやってくるのは成長物語。NHK朝の「連続テレビ小説」など。逆に、こちら側（現世的世界）から向こう側（異界的世界）に行くのは退行物語。都会人の田舎暮らしなど。物語はほぼこの四つの型になる。

続きを読むには……

『一寸法師・さるかに合戦・浦島太郎』（岩波文庫）など。

教科書採録度★★★

最後のひと葉

O・ヘンリー　小川高義 訳

ワシントン広場の西にちょっとした界隈《かいわい》があって、でたらめに走る街路が細切れになり、「プレース」と名のつく小路になっている。この手のプレースはおかしな角度で折れ曲がるもので、ある一本の道では、たどって歩いているうちに、一度や二度は、もとの道に出ている。これは重宝なことである、と気づいた画家がいた。絵の具や画用紙、カンバスの掛け取りが来たとしても、一セントの取り立てもしないうちに、いま来た道を戻っていることにならないか！

かくして、古めかしいグリニッジヴィレッジに、芸術家が群がることになった。北向きの窓、十八世紀の切妻、オランダ風の屋根裏。とにかく家賃が安ければよいのだった。錫《すず》合金のマグだとか、簡易な調理器具だとか、そんなものを六番街で調達して持ち込めば、それでもう芸術家の「コロニー」ができあがった。

ずんぐりした(レンガの三階建ての三階に、……

読みのポイント

肺炎に罹《かか》った絵描きの卵・ジョンジーを命がけで救ったのは、部屋の窓から見える壁に「最後のひと葉」を描いたベアマン老人だった。ベアマン老人が肺炎で死ななくても「ちょっといい話」にはなったはずだが、肺炎で命を落としたから「美談」としての強度が高まる。そう考えると、残酷な話でもある。人の感動はときとしてとても残酷なことを求めるものだ。

しかもベアマン老人の死は、この小説にとってノイズ（物語の本筋を離れた余剰物《よじょうぶつ》）でもあったのではないだろうか。小説の面白さは、このノイズで決まると言っても過言ではない。

飼い猫は自分の死期を知って、その時が来ると姿を消すという。人も自分の死期を知っているのではないだろうか。それがジョンジーにとっては「最後のひと葉」が散ったときだった。ベアマン老人はジョンジーの運命に介入してしまったのだ。もちろん、人は他人の運命に介入しないでは生きていけない。それでも、やっていいことといけないことがある。ベアマン老人はやってはいけないことをやったのだ。その意味で、この小説のテーマは運命なのだ。

O・ヘンリー
（一八六二〜一九一〇）
アメリカの作家。銀行の公金横領の罪で告訴され、獄中で小説を書き始める。出獄後は短篇の名手としてニューヨークで活躍。ほかの作品に「賢者の贈りもの」「二十年後」など。

続きを読むには……

『最後のひと葉―O・ヘンリー傑作選II―』（新潮文庫）など。

教科書採録度★★★

つり橋わたれ

長崎源之助

「やあい、やあい、くやしかったら、つり橋わたって、かけてこい。」

山の子供たちがはやしました。

トッコは、きゅっとくちびるをかみしめて、ゆれるつり橋を見ました。ふじづるでできた橋の下には、谷川が、ゴーゴーとしぶきを上げて流れています。

橋はせまいくせに、ずいぶん長くて、人が歩くと、よくゆれます。おまけに、今にもふじづるが切れそうなほど、ギュッ、ギュッと、きしむのです。だから、さすがに負けずぎらいなトッコも、足がすくんでしまいました。

「やあい、勇気があったら、とっととわたれ。」

トッコの家は東京ですが、お母さんが病気になったので、この山のおばあちゃんの家にあずけられたのです。

おばあちゃんは、トッコがさびしがるといけないと思って、……

母親が病気で、東京から山の祖母の家にあずけられたトッコの話である。ごく短いし、ポイントも一つだけ。

読みのポイント

トッコが吊《つ》り橋を渡れるかどうかだ。東京の子が地方で受け入れられるためのイニシエーション（通過儀礼）が、この物語では「つり橋わたれ」なのである。こうした通過儀礼は転校生もよく経験する。

トッコはサブとタケシとミヨの三人に東京自慢をして怒らせてしまった。そこで、三人はトッコに「つり橋わたれ」という難題をふっかけたのだ。揺れる吊り橋が怖くて渡れないトッコの目の前に木《こ》霊《だま》の精（だろう）が現れて、その男の子と言葉を交わしているうちに、気づいたら吊り橋を渡っていて、三人の仲間入りである。

この物語で重要なのは、「東京／田舎」といった境界線が持つ意味作用だろう。人は空間的にも時間的にも境界線を越えなければ変われない。トッコは吊り橋を渡ることで「東京」から「田舎」へと境界線越えをしたのである。幼い少女からほんの少し成長もした。「成長の物語」という境界線越えである。橋は文学によく使われる。見えない境界線を可視化する象徴的な文学的装置だからである。

ながさき・げんのすけ（一九二四～二〇一一）横浜市生れ。終戦後、児童文学を書き始める。一九八〇年、「忘れられた島へ」で野間児童文芸賞を受賞。ほかの作品に「ヒョコタンの山羊《やぎ》」「トンネル山の子どもたち」など。

続きを読むには……

『光村ライブラリー　小学校編　第7巻』（光村図書出版）など。

教科書採録度★★★

バッタと鈴虫

川端康成

大学の煉瓦塀《れんがべい》に沿うて歩き煉瓦塀を外れて高等学校の前にさしかかると、白く立ち並んだ棒で囲われた校庭の黒い葉桜の下の仄暗《ほのぐら》い叢《くさむら》から虫の声が聞えて来る。虫の声に少し足を緩め耳を傾け、更に虫の声を惜しんで高等学校の庭から離れないため道を右に折れ、そして左に折れると、立棒の代りにからたちの植わった土手が始まる。左に折れた角で、はて！ と輝いた眼《め》を前へ投げて私は小走りに急いだ。

前方の土手の裾《すそ》に、可愛《かわい》らしい五色の提燈《ちょうちん》の灯《ひ》の一団が寂しい田舎の稲荷祭《いなりまつり》のように揺れていたからである。近づかなくとも、子供達が土手の叢の虫を捕《と》っているのだと分る。提燈の灯は二十ばかり。そして提燈の一つ一つが紅桃色藍《あい》緑紫黄などの灯をともしているばかりでなく、一つの灯が五色の光をともしているのである。店で買ったらしい小さい紅提燈もある。けれども多くは子供等が思案を凝らして自分の手で作った可愛らしい四角な提燈である。……

かわばた・やすなり
63頁参照。

川端がまだ若かった頃、多くの小説家ははじめ詩人だった。しかし、自分は詩を書かなかったのでその代わりに掌篇小説を書き続けたと、川端自身が言っている。そこで一二〇編ほどを集めた『掌の小説《てのひら》』ができあがったのである。

読みのポイント

二〇人ほどの子供たちが、思い思いに明かり窓を施した提燈を持って土手に集まっている。それを見て、子供たちが集まるまでには「一つの童話がなければならない」と思う。ここまでの文章に「私」という主語はない。「私」がこんなに近くで見ているのに子供たちが気が付かないのは不自然だという野暮なリアリズムの感覚を持ち出せば、これ以降は「私」の見た幻なのかもしれない。

一人の男の子が、鈴虫を捕まえたのにそれをバッタだと言って手渡し、想《おも》いを寄せている少女に嬉《うれ》しい驚きをプレゼントする。しかし、「私」はもっとすばらしいことを見てしまう。そのことは、少年も少女も知らない。しかし読者は、「バッタと鈴虫」とは人生の綾《あや》のことだと気づかされる。「そのこと」が幻なのか、人生が幻なのか。もう、どちらでもいいではないか。

続きを読むには……

『掌の小説』（新潮文庫）など。

教科書採録度★★★

モチモチの木

斎藤隆介

まったく、豆太《まめた》ほどおくびょうなやつはない。もう五つにもなったんだから、夜中にひとりでセッチングらいにいけたっていい。

ところが豆太は、セッチンはおもてにあるし、おもてには大きなモチモチの木が突っ立っていて、空いっぱいのかみの毛をバサバサとふるって、両手を「ワァッ！」とあげるからって、夜中には、爺《じ》さまについてってもらわないと、ひとりじゃ小便もできないのだ。

爺さまは、グッスリねむっている真夜中に、豆太が「ジサマァ」って、どんなにちいさい声でいっても、「しょんべんか」と、すぐ目をさましてくれる。いっしょに寝ている一まいしかないふとんを、濡《ぬ》らされちまうよりいいからなァ。

それに峠《とうげ》のりょうし小屋に、自分とたったふたりでくらしている豆太がかわいそうで、かわいかったからだろう。……

読みのポイント

小学校の低学年用の教科書で読んだ人が多いはずだ。

ハナタレとションベンタレは、昔の男の子の徴《しるし》だった。ハナタレはやんちゃで幼稚な男の子の徴で、ションベンタレは臆病《おくびょう》者《もの》の徴だった。それもまた一種の文化だったと言っていいが、ハナタレとションベンタレが意味を持ったのはもう昔の話である。

豆太の家のセッチン（トイレ）は外にある。私の世代ではかろうじてそういう家を知っている。いまこの物語のどこにリアリティーを感じるのだろう。実は、高校国語の教科書に三好《みよし》達治の名詩「太郎を眠らせ、太郎の屋根に雪ふりつむ／次郎を眠らせ、次郎の屋根に雪ふりつむ」（「雪」）を収録しようとしたら、教科書会社の編集者が「都会の子はマンションに住んでいますから、リアリティーが感じられません」と言って、却下したことがある。それと同じだ。

ただ一つ、「爺さま」が腹痛で苦しんでいたから、臆病者の豆太が夜の道を走りに走って医者を呼びに行ったところだろうか。でも、やっぱり豆太は夜中におしっこに行きたくなると「爺さま」を起こす。ちっとも成長しない繰り返しが、子供の物語の楽しみだ。

さいとう・りゅうすけ（一九一七〜一九八五）東京生れ。明治大学文芸科卒。卒業後は新聞記者として勤めながら執筆を続けた。一九七一年、「ちょうちん屋のままッ子」で産経児童出版文化賞を受賞。ほかの作品に「ベロ出しチョンマ」「花さき山」など。

続きを読むには……

『斎藤隆介童話集』（ハルキ文庫）など。

教科書採録度★★★

浮雲

二葉亭四迷

千早振《ちはやふ》る神無月《かみなづき》ももはや跡二日《ふつか》の余波《なごり》となッた二十八日の午後三時頃に、神田見附《かんだみつけ》の内より、塗渡《とわた》る蟻《あり》、散る蜘蛛《くも》の子とうようよぞよぞよ沸出《わきい》でて来るのは、孰《いず》れも頤《おとがい》を気にし給《たま》う方々。しかし熟々《つらつら》見て篤《とく》と点検《てんけん》すると、これにも種々《さまざま》種類のあるもので、まず髭《ひげ》から書立てれば、口髭、頬《ほお》髯、顋《あご》の鬚《ひげ》、暴《やけ》に興起《おや》した拿破崙髭《ナポレオンひげ》に、狆《ちん》の口めいた比斯馬克髭《ビスマルクひげ》、そのほか矮鶏髭《ちゃぼひげ》、貉髭《むじなひげ》、ありやなしやの幻の髭と、濃くも淡《うす》くもいろいろに生分《はえわか》る。髭に続いて差《ちが》いのあるのは服飾《みなり》。白木屋仕込みの黒物《くろいもの》ずくめには仏蘭西《フランス》皮の靴《くつ》の配偶《めおと》はありうち、これを召す方様《かたさま》の鼻毛は延びて蜻蛉《とんぼ》をも釣《つ》るべしという。これより降《くだ》っては、背皺《せじわ》よると枕詞《まくらことば》の付く「スコッチ」の背広にゴリゴリするほどの牛の毛皮靴、そこで踵《かかと》にお飾を絶《たや》さぬところから泥《どろ》に尾を曳《ひ》く亀甲洋袴《かめのこズボン》、いずれも釣《つる》しんぼうの苦患《くげん》を今に脱せぬ貌付《かおつき》。デモ持主は得意なもので、髭あり服あり我また奚《なに》をか覓《もと》めんと済した顔色《がんしょく》で、……

読みのポイント

近代文学をはじめた小説として名高い。それはまちがってはいないが、近代文学が花開いたのは明治四〇年前後に自然主義文学が最盛期を迎えた頃だというのが、最近の見方だ。『浮雲』は早すぎた近代文学だったのかもしれない。

「浮雲」と書いて当時は「あぶない」と読んだ。官僚制度が出来上がり、本田昇（上昇する日本）のように上司に媚《こ》びへつらう者が出世し、内海《うつみ》文三（学問が出来るが内気）のような正直者が首になるようなあぶない近代日本を批判する風刺小説のはずだったらしい。

ところが、文三とお勢の関係を書き込んでいくうちに、お勢に振り回される文三の心理を書くのが面白くなってしまったようだ。ここで「女の謎《なぞ》」という、近代文学に顕著なテーマがすでに書き込まれているのには驚かされるが、その結果、前半と後半がちぐはぐになってしまって途中で筆を折った、かどうかははっきりしない。文三とお勢の物語は終わっていないが、末尾の「そして一《ひ》と先《まず》二階へ戻った」をオープンエンディングと読んでもいいからだ。終わっていないない方が、はじまりの小説にふさわしいかもしれない。

ふたばてい・しめい
（一八六四〜一九〇九）
江戸市ヶ谷生れ。東京外語学校露語科中退。一八八六年、坪内逍遙と出会って「浮雲」を書き始める。ほかの作品に「其《その》面影」「平凡」など。

続きを読むには……

『浮雲』（新潮文庫）など。

教科書採録度★★★

ジュール伯父さん

モーパッサン　高山鉄男 訳

白いひげをはやしたみすぼらしい老人が、ぼくたちに向かって施しを求めた。友人のジョゼフ・ダヴランシュときたら、五フランもやったものだ。ぼくが驚いてみせると、彼はこう言った。

「あのみじめな男を見て、ぼくはあることを思い出したんだよ。きみにその話をしよう。なにせしょっちゅう思い出しているんでね。まあ、聞いてくれたまえ」

＊

ぼくの家は、ル・アーヴル（英仏海峡に臨む港町）の出なんだが、金持じゃなかった。なんとか食いつないでいるといった程度だったね。おやじは勤め人で、遅くまで役所で働いていたが、たいした稼ぎがあったわけじゃない。ぼくには姉が二人いた。おふくろには、貧乏暮らしがよほどこたえていたらしく、……

読みのポイント

これはジョゼフ・ダヴランシュが、五フランも施しをした理由を友人に話す趣向で、いわゆる〈枠小説〉である。フランスの貧しい家庭に育ったジョゼフには、アメリカで成功しているはずのジュール伯父がいた。当時、フランスではアメリカで成功して親類に莫大《ばくだい》な遺産を残す人を「アメリカのおじさん」と呼んでいたらしい（高山鉄男）。しかしジュール伯父は落ちぶれ、船の老水夫になっていた。ダヴランシュ家の人々は偶然同じ船に乗ってしまったのだった。そのとき若きジョゼフは彼に素性を知られぬまま、わずかながら施しをした。それがいまも続いているわけだ。

どこの国でも「おじさん」は厄介で魅力ある存在のようだ。近代日本の小説に「おじさん」（特に次男）が出てきたら、遺産を横領する可能性が高い。戦前は長男単独相続制だったので、特に次男には不満がたまりやすかったのだ。この小説では、家を傾けた困りものは、長男のジュール伯父の方だ。それでも、いつもジュール伯父の話を聞かされたジョゼフには、かけがえのない存在となった。「おじさん」という甘い響きだけが、この話を成り立たせている。

モーパッサン　ギ・ド（一八五〇～一八九三）フランス生れ。フローベールに師事し、創作の指導を受ける。一八八〇年、普仏戦争を扱った中篇「脂肪の塊」で作家としての地位を確立した。ほかの作品に「女の一生」「テリエ館」など。

続きを読むには……

『モーパッサン短篇選』（岩波文庫）など。

教科書採録度★★★

一房の葡萄

有島武郎

僕は小さい時に絵を描くことが好きでした。僕の通っていた学校は横浜の山の手という所にありましたが、そこいらは西洋人ばかり住んでいる町で、僕の学校も教師は西洋人ばかりでした。そしてその学校の行《ゆ》きかえりには、いつでもホテルや西洋人の会社などが、ならんでいる海岸の通りを通るのでした。通りの海添いに立って見ると、真青《まっさお》な海の上に軍艦《ぐんかん》だの商船だのが一ぱいならんでいて、煙突から煙の出ているのや、檣《ほばしら》から檣へ万国旗をかけわたしたのやがあって、眼がいたいように綺麗でした。僕はよく岸に立ってその景色を見渡して、家に帰ると、覚えているだけを出来るだけ美しく絵に描いて見ようとしました。けれどもあの透きとおるような海の藍色と、白い帆前船《ほまえせん》などの水際近くに塗ってある洋紅色《ようこうしょく》とは、僕の持っている絵具ではどうしてもうまく出せませんでした。いくら描いても描いても本当の景色で見るような色には描けませんでした。……

読みのポイント

バブル時代にJポップと呼ばれた歌謡曲の歌詞を分析した人が、「あの時」「あの日」「あの頃」といったフレイズがとても多いと指摘した（見崎鉄）。こうしたフレイズが失恋も美しく見せていると言うのだ。「思い出はすべて美しい」わけだ。
「僕」は、横浜のミッションスクールにでも通っているのだろうか。どうしてもほしかった級友ジムの絵の具を盗んで、ばれてしまう。しかし、西洋人の女性教師は「僕」を叱《しか》らずに、一房の葡萄《ぶどう》を渡してクラスへ向かう。実に鮮やかな手際《てぎわ》である。
興味深いのは、絵の具をほしいと思う「僕」には、級友がみな自分を見て「いまに見ろ、あの日本人が僕の絵具を取るにちがいないから」などと話しているように思えることだ。自意識過剰と言えばすむ話だが、現代思想が説く「私の欲望は他者の欲望だ」という説そのものなのである。ジムが実際に「僕」が絵の具を盗むことを予想していたらしいことを考慮すれば、少し言い方を換えて、「僕」はジムの期待通りに絵の具を盗んだのかもしれない。思い出の中では、他者と自分との境目がとろけてしまうのかもしれない。

ありしま・たけお
67頁参照。

続きを読むには……

『一房の葡萄　他四篇』（岩波文庫）など。

教科書採録度★★★

旅愁

横光利一

家を取り壊した庭の中に、白い花をつけた杏の樹がただ一本立っている。復活祭の近づいた春寒い風が河岸から吹く度びに枝枝が慄えつつ弁を落していく。パッシイからセーヌ河を登って来た蒸気船が、芽を吹き立てたプラターンの幹の間から物憂げな汽笛の音を響かせて来る。城砦のような厚い石の欄壁に肘をついて、さきから河の水面を見降ろしていた久慈は石の冷たさに手首に鳥肌が立って来た。

下の水際の敷石の間から草が萌え出し、流れに揺れている細い杭の周囲にはコルクの栓が密集して浮いている。

「どうも、お待たせして失礼。」

日本にいる叔父から手紙の命令でユダヤ人の貿易商を訪問して戻って来た矢代は、久慈の姿を見て近よって来ると云った。二人は河岸に添ってエッフェル塔の方へ歩いていった。……

おそらく近代文学の中でもっとも困った小説の一つだろう。横光自身の半年にわたる西欧体験から生まれた小説だが、戦前から戦後のある時期までの「洋行体験者」は、帰国後に「西洋かぶれ」になるか「日本主義者」になると言われていた。横光は後者だったようだ。昭和一二年から一〇年近くかけて書きつがれて未完に終わったこの小説では、主人公の一人は帰国してからの心のよりどころを、西洋的合理を超えていると信じる古神道《こしんとう》に求めるのである。それが、戦後日本のタブーに触れてしまったのだ。いまでもこの小説の古神道は底が浅いといった議論は多い。

『沈黙』の項でも書いたが、ミシェル・フーコーの〈近代は、宗教に代わって政治思想が国家の成立原理となった〉という世界観はいまや過去のものとなった。二一世紀は宗教の時代の様相を呈している。『旅愁』は思想小説のように読まれてきた面もあるが、恋愛の悩みさえ宗教に結びつけられているのだ。たとえその議論が稚拙だったとしても、はやすぎた宗教小説だったと言うべきだろう。そうした観点から読み直され、評価し直されていいと思う。

87頁参照。

よこみつ・りいち

読みのポイント

続きを読むには……

『旅愁』（上下巻、講談社文芸文庫）など。

教科書採録度★★

兄　弟

〜

ヒロシマの歌

教科書採録度★★

兄弟

山本有三

——にいさん、これそうだろう。

——どれ。

兄はそばにいる弟のほうをふり向いた。そして、弟の差し出したキノコを見た。しかし、すぐ言った。

——それはちがうよ。こういうんでなくっちゃ。

彼は、自分で今とったばかりのハツタケを、弟に示した。

——これ、だめ！

弟は残り惜しそうに、とったキノコをながめていた。

——あ、カサの下にぎざぎざのないのはだめだよ、ヘビダケってね、毒のキノコなんだよ。

彼はまだ十一の少年だけれど、弟に対する時は、……

やまもと・ゆうぞう（一八八七〜一九七四）栃木県生れ。東京帝大独文科卒。一九二〇年、戯曲「生命の冠」でデビュー。大正末期から小説も書き始める。ほかの作品に「真実一路」「路傍の石」など。

読みのポイント

茸（ハツタケ）狩りに山に入った兄弟の話。

一一歳の兄は、まだ茸をきちんと見分けられない弟をいたわりながら茸狩りを続けるが、たくさん採れたところで山番の老人に見つかってしまった。茸を取り上げられただけでなく、殴られてしまった。弟の方が泣きだしたのだが、兄は弟を殴りつけて、今度は二人して手をつないで泣きながら家に帰るのだった。

小説の叙述は基本的に兄の視点からなされる。ところが、兄が弟を殴りつけたところだけ、視点が兄から離れる。腹いせに殴ったのではなく、「なんだか知らないが、年したの者なぞから親切に帽子を拾ってもらったことが、兄にはたまらなかったのではないだろうか」と。弟が弟であることの意味が兄には十分にはわからないらしいことを、この視点の変換から読み取ることができる。それでも、二人は手をつないで泣きながら帰る。こうして感情を共有する。兄弟であることは、言葉ではなく身体《からだ》が覚えるのだ。これは兄弟が兄弟であることを確かめる物語だが、読者は血のつながりよりも、つながれた手から「兄弟という文化」が生まれるのを見る。

続きを読むには……

『定本版山本有三全集　第4巻』（新潮社）など。

教科書採録度★★

帰郷

大佛次郎

「如何《いかが》です」

と、画家は連れを返り見た。

「なかなか景色の好いところでしょう」

一時間ばかり前に、強いスコールが過ぎて行った後で、くすんだ赤瓦《あかがわら》に白壁の多いマラッカの町は、繁る熱帯の樹々とともに、洗い出されたように目に鮮やかな色彩を一面に燃え立たせていた。雨雲の一部が裂けて、凄《すさま》じいばかりの日光が降りそそいでいる。町を縁《ふち》取っている海は、まだ黒雲の下にあって、泥絵具で描いたように光のない灰色をしていたが、これもやがて晴れて来るので、見ている間に、青みをさして変化して来る。その青い色が、まだ極めて沈鬱な調子のもので、遠景に長く突出している椰子《やし》の林ばかりの黒い岬とともに、光の氾濫した町を一層絢爛《けんらん》としたものに見せているのだった。刻々と、その光は動いて、海の上にはみ出して行こうとする。……

読みのポイント

元海軍士官の守屋恭吾は公金横領の罪を被《かぶ》って海外に脱出。二十数年の逃亡生活を送った後に、敗戦を機に帰国したが、戦後の日本を嫌悪《けんお》した彼は、永遠に日本を去る覚悟をする。ほかに何人かの俗物を配して、彼らに戦後日本の様相を代表させている。二つの時代と日本の国境をまたぐ、国際派の通俗小説。ここで言う「通俗小説」とは、文学としての価値が低いという意味ではない。テーマが一つしか設定されていないという意味だ。

「わびとかさびとか、西洋人の企て得なかった美の世界を日本人が発見したのは、やはり、貧乏だった結果のように恭吾は見た。人間の意欲をほしいままにした贅沢の出来ない素質の民族だから、意欲を殺して貧しい中に自ら楽しむことを工夫したのではなかろうか」。恭吾が何を基準として戦後日本を嫌悪するのかがはっきり示されている一節だ。よくありがちな、モノは豊かになったが心は貧しくなったみたいな清貧の思想。いかにも教科書教材の顔をしていると言ったら、皮肉がすぎるだろうか。しかし、教科書には「モノの豊かさを楽しもう」という教材はまずないのだ。

おさらぎ・じろう
（一八九七〜一九七三）
横浜市生れ。東京帝大政治学科卒。外務省に勤務していたが、関東大震災を機に同省を辞し、文筆に専念する。ほかの作品に「鞍馬天狗」「パリ燃ゆ」など。

続きを読むには……
『新潮日本文学25』（新潮社）など。

教科書採録度★★

闇の絵巻

梶井基次郎

　最近東京を騒がした有名な強盗が捕まって語ったところによると、彼は何も見えない闇《やみ》の中でも、一本の棒さえあれば何里でも走ることが出来るという。その棒を身体《からだ》の前へ突き出し突き出しして、畑でもなんでも盲滅法に走るのだそうである。

　私はこの記事を新聞で読んだとき、そぞろに爽快《そうかい》な戦慄《せんりつ》を禁じることが出来なかった。

　闇！　そのなかではわれわれは何を見ることも出来ない。より深い暗黒が、いつも絶えない波動で刻々と周囲に迫って来る。こんななかでは思考することさえ出来ない。何が在るかわからないところへ、どうして踏み込んでゆくことが出来よう。勿論《もちろん》われわれは摺足《すりあし》でもして進むほかはないだろう。しかしそれは苦渋や不安や恐怖の感情で一ぱいになった一歩だ。その一歩を敢然と踏み出すためには、われわれは悪魔を呼ばなければならないだろう。裸足《はだし》で薊《あざみ》を踏んづける！……

この小説が書かれた一九三〇年頃は、日本人の電燈《でんとう》のあかりへの感性は微妙な時期だったのではないだろうか。すなわち、日本人の闇への感性は微妙な時期ではないだろうか。電燈が普及しはじめた頃、そのあかりはとても珍しかった。夏目漱石のそのタイトルも『明暗』を、あかりへの感性の変革から読む研究者もいる（藤井淑禎《ひでただ》）。梶井基次郎は漱石の愛読者だった。もう一つ注意しておかなければならないのは、当時は都会と田舎ではあかりの度合いがまったくちがったことである。「都会は明るい」という驚きは、上京した者が誰でも一度は持った感覚だった。

この小説は「私」が「ある山間の療養地」で暮らした時に覚えた「闇を愛すること」を、回想しながら書いた体裁を採っている。「闇」を「絵巻」と見る感性は、回想する感性と質は同じなのである。当時、都会は未来であり、田舎は過去だった。だから「闇」とは過去の別名だが、それは個人的な過去だけを意味しない。近代日本が忘れようとしている過去でもある。ここに書かれているのは、そういう記憶としての「闇」がまだ残っている時代の「闇」なのだ。

読みのポイント

かじい・もとじろう
55頁参照。

続きを読むには……
『檸檬』（新潮文庫）など。

教科書採録度★★

忘れえぬ人々

国木田独歩

多摩川の二子《ふたこ》の渡《わたし》をわたって少しばかり行くと溝口《みぞのくち》という宿場がある。その中程に亀屋《かめや》という旅人宿《はたごや》がある。恰度《ちょうど》三月の初めの頃《ころ》であった、この日は大空かき曇り北風強く吹いて、さなきだに淋《さび》しいこの町が一段と物淋しい陰鬱《いんうつ》な寒むそうな光景を呈して居た。昨日《きのう》降った雪が未だ残って居て高低定《さだま》らぬ茅屋根《わらやね》の南の軒先からは雨滴《あまだれ》が風に吹かれて舞うて落ちて居る。草鞋《わらじ》の足痕《あしあと》に溜《たま》った泥水《どろみず》にすら寒むそうな漣《さざなみ》が立《たっ》て居る。日が暮れると間もなく大概の店は戸を閉めて了《しま》った。闇《くら》い一筋町《ひとすじまち》が寂然《ひっそり》として了った。旅人宿《はたごや》だけに亀屋の店の障子には燈火《あかり》が明《あか》く射《さ》して居たが、今宵《こよい》は客も余りないと見えて内もひっそりとして、おりおり雁頸《がんくび》の太そうな煙管《きせる》で火鉢《ひばち》の縁《ふち》を敲《たた》く音がするばかりである。

突然《だしぬけ》に障子をあけて一人の男がのっそり入ッて来た。長火鉢に寄《よっ》かかッて胸算用《むなさんよう》に余念も無かった主人《あるじ》が驚《おどろい》て此方《こちら》を向く暇もなく、……

読みのポイント

ある時期から「風景の発見」（柄谷行人《からたにこうじん》）という概念とともに記憶されることになった作品である。

くにきだ・どっぽ
45頁参照。

それにしても奇妙な小説だ。宿場町だった溝の口（川崎市）の亀屋という宿で、大津弁二郎という男が秋山松之助という男と出会って、「忘れ得ぬ人々」という原稿を紹介する。ところが、それは船に乗っていて島影に偶然見かけた人や山歩きをしたときに偶然見かけた若者などであって、いわば「人影」でしかない。大津は「生の孤立」を感じるような晩に、こうした人々を思い起こすと言う。

私たちにとって「風景」とは、観光地の絵葉書のようなものだ。観光地に実際に行ってみて、「ああ、絵葉書と同じだ」と感動することがある。それが「風景」である。「風景」とは私たちの期待通りの自然のことなのである。つまり、私たちは「風景」を見ながら、実は自分の内面が作り出した自然を見ているにすぎない。「忘れ得ぬ人々」とは、「風景」（＝内面）を思いだすための徴《しるし》なのである。だとすれば、大津がその原稿に付け加えたのが「秋山」か「亀屋の主人」のどちらかは、言わずとも明らかだろう。

続きを読むには……

『武蔵野』（新潮文庫）など。

教科書採録度 ★★

くるみ割り

永井龍男

アンパイヤーのポケットから、捕手《ほしゅ》に渡《わた》った新しい真っ白な球は、やがて弧《こ》を描《えが》いて長身の投手の手に入った。

前の打者は、四つもファウルやチップを重ねたあとで、簡単なファースト・フライに退いた。

打者は、その新しい球の第一球を打った。よい当たりであった。地をはう白球は、しかし深く守った遊撃手《ゆうげきしゅ》の真正面を突き、球は正確に一塁へ送られた。ワッと喚声《かんせい》が揚《あ》がった。そしてサイレン。

わたしと友人は、期《き》せずしていっしょに立ち上がり、夕日の名残《なごり》をかすかに受けた神宮絵画館の塔を空に見ながら、ウーンと伸びをした。戦争は始まっていたが、日曜日には、まだ六大学野球の見られる時分であった。

友人が胸のかくしから時計を出した。わたしもそれをのぞいた。……

読みのポイント

サブタイトルに「ある少年に」とある。この「少年」は、たぶん誰でもいい。「少年が大人になる物語」だからである。〈枠小説〉で、大人になった画家が少年の日の思い出を集まった人に話し、最後にまた大人の現在に戻ってくる。だから、「あれが自分が大人になった瞬間だった」とわかるわけだ。

戦前の大学野球の聖地・神宮球場で野球を観戦するところからはじまる。この小説が書かれたのは一九四八年だから、その後神宮外《がい》苑《えん》で学徒出陣の式典が行われたことも、多くの学徒が戦死したこともわかっている。生き残った大人の哀切のこもった思い出なのだ。

中学受験の準備をする少年の日に、画家の母が結核で亡《な》くなった。母が療養しているとき、遠足に行けなくなったことに腹を立てて、少年は父のくるみ割りで皿を割ってしまった。姉が嫁ぎ、父に再婚話が持ち上がった。そのくるみ割りで「カチン」とくるみを割った瞬間、少年は母の死と父の再婚を受け入れたのである。

僕も覚えている。高校生の時、恋の終わりを迎えて悩んでいた彼女の、思い出の詰まったくるみをパンッと割った日のことを。

ながい・たつお
（一九〇四〜一九九〇）
東京生れ。一六歳で書いた「活版屋の話」が菊池寛に注目される。一九六五年、「一個その他」で野間文芸賞、翌年には日本芸術院賞を受賞。ほかの作品に「コチャバンバ行き」「秋」など。

続きを読むには……

『光村ライブラリー　中学校編第３巻』（光村図書出版）など。

教科書採録度★★

赤いろうそく

新美南吉

山から里のほうへ遊びにいったさるが一本の赤いろうそくをひろいました。赤いろうそくはたくさんあるものではありません。それでさるは赤いろうそくを花火だと思いこんでしまいました。

さるはひろった赤いろうそくをだいじに山へ持って帰りました。

山ではたいへんなさわぎになりました。なにしろ花火などというものは、しかにしてもししにしてもうさぎにしても、かめにしても、いたちにしても、たぬきにしても、きつねにしても、まだいちども見たことがありません。その花火をさるがひろってきたというのであります。

「ほう、すばらしい。」

「これは、すてきなものだ。」

しかやししやうさぎやかめやいたちやたぬきやきつねがおし合いへし合い……

読みのポイント

新美南吉の小品である。童話によくありがちだが、動物が擬人化されている。小学校低学年用国語教科書ではまずそういう童話しか収録されない。子供の性質上妥当な判断で、子供は自分の持っている知識だけで「世界」を理解しようとするからだ。だから、動物も人間と同じだと思っている。

猿が里で赤い蠟燭《ろうそく》を一本拾って帰る。ところが、猿はそれを花火だと思い込む。そこで、花火を楽しもうと火をつけようとするのだが、怖いので誰も（かな？）やりたがらない。亀《かめ》が失敗して、鼬《いたち》が失敗して、猪《いのしし》がやっと火をつけた。「しかしろうそくはぽんともいわずに静かにもえているばかりでした」。

子供がおもしろがるのは、早々に「赤いろうそくを花火だと思いこんでしまいました」と書いてあるからだ。この勘違いがどんな事件を引き起こすのか、それでわくわくする。でも、事件は起きない。動物たちも読者も肩すかし。祭りの後のよう。「静かにもえている」蠟燭のイメージがなんと美しく侘《わ》びしいことか。まるで「わびさび」の境地を子供に教えているかのようだ。

にいみ・なんきち　29頁参照。

続きを読むには……

『新美南吉童話選集1』（ポプラ社）など。

教科書採録度★★

最後の一句

森鷗外

元文《げんぶん》三年十一月二十三日の事である。大阪で、船乗業桂屋太郎兵衛《かつらやたろべえ》と云《い》うものを、木津川口《きづがわぐち》で三日間曝《さら》した上、斬罪《ざんざい》に処すると、高札《こうさつ》に書いて立てられた。市中到《いた》る処《ところ》太郎兵衛の噂《うわさ》ばかりしている中に、それを最も痛切に感ぜなくてはならぬ太郎兵衛の家族は、南組堀江橋際《ぎわ》の家で、もう丸二年程、殆《ほとん》ど全く世間との交通を絶って暮しているのである。

この予期すべき出来事を、桂屋へ知らせに来たのは、程遠からぬ平野町に住んでいる太郎兵衛が女房《にょうぼう》の母であった。この白髪頭《しらがあたま》の媼《おうな》の事を桂屋では平野町のおばあ様と云っている。おばあ様とは、桂屋にいる五人の子供がいつも好《い》い物をお土産に持って来てくれる祖母に名づけた名で、それを主人も呼び、女房も呼ぶようになったのである。

おばあ様を慕って、おばあ様にあまえ、おばあ様にねだる孫が、……

読みのポイント

元文三（一七三八）年のこと、大阪の船乗業・桂屋太郎兵衛が死罪を言い渡された。二年前に米を運ぶ船が難破したとき、雇っていた新七が残った米を違法に売りさばき、その金をつい受け取ってしまったことが露見したからである。

太郎兵衛には妻と子供が五人いたが、事の次第を聞いた一六歳の長女いちは、跡取り以外の子供たちの命と引き替えに父の命を救ってくれと奉行所に直訴した。奉行はいちを問い詰め、身代わりになるならすぐに殺され、父とは会えないがいいかと問うてみた。するといちは、「よろしゅうございます」、「お上《かみ》の事には間違はございますまいから」と冷ややかな調子で答えた。この最後の一句が役人たちの心を射貫《いぬ》いた。太郎兵衛は恩赦となったのである。

この小説の工夫は二つ。一つは、言葉は使われ方によって反対の意味にもなり得るという性質を利用したこと。もう一つは、「正しさ」への恐れを書いたこと。「あなたはまちがっている」と言われるより、「あなたは正しい」と言われる方がはるかに恐ろしいはずだ。「正しさ」は人が背負うには重すぎるからである。

もり・おうがい
23頁参照。

続きを読むには……

『山椒大夫・高瀬舟』（新潮文庫）など。

教科書採録度★★

鞄

安部公房

雨の中を濡《ぬ》れてきて、そのままずっと乾くまで歩きつづけた、といった感じのくたびれた服装で、しかし眼もとが明るく、けっこう正直そうな印象を与える青年が、私の事務所に現れた。新聞の求人広告を見たというのである。

なるほど、求人広告を出したのは事実である。しかし、その広告というのが、なにぶん半年以上も前のことなのだ。今頃になって、ぬけぬけと応募してくるというのは、いくらなんでも非常識すぎる。まるで採用されないために、今日まで応募を引延したと言わんばかりではないか。

呆《あき》れてものも言えないでいる私を尻目《しりめ》に、

「やはり、駄目でしたか。」

と、むしろほっと肩の荷をおろした感じで、来たときと同じ唐突さで引返しかけるのだ。はぐらかされた私は、ついあわてて引留めにかかっていた。……

読みのポイント

安部公房の小説はどれもアレゴリー（寓話《ぐうわ》）だ。そこで、どうしてもストーリーのまとめ以上のことしか書けない学生には、あえて安部公房の小説を論じさせる。小説の哲学にちょっと色づけすれば、なんとか卒業論文らしくなるからだ。

あべ・こうぼう　77頁参照。

『鞄《かばん》』の哲学は何だろう。大きな鞄を持った青年が、「私」の事務所に現れて雇ってほしいと言う。なぜこの事務所なのかと聞くと、この「鞄の重さ」が自分の行き先を決めるからだと言う。「私」は雇うことにして、青年の置いていった鞄を持ってみる。すると、なるほど「鞄の重み」が見知らぬ場所に連れて行く。「私は嫌になるほど自由だった」と。私たちは自分がモノを所有すると考えている。主人公は私だ。しかし、モノが私の主人公になればもっと自由になれる。人が持ち歩く鞄は、この逆説をアレゴリカルに示す象徴だ。どうしてこの鞄はこんなにデカイのか。「大きいことはいいことだ」。これはそういう時代に書かれた小説だった。「大きさが人を自由にする」。そう信じられた資本主義全盛の時代のアレゴリーでもある。これなら卒業論文かも。

続きを読むには……

『笑う月』（新潮文庫）など。

教科書採録度★★

金色夜叉

尾崎紅葉

未《ま》だ宵ながら松立てる門は一様に鎖籠《さしこ》めて、真直《ますぐ》に長く東より西に横《よこた》はれる大道《だいだう》は掃きたるやうに物の影を留《とど》めず、いと寂《さび》くも往来《ゆきき》の絶えたるに、例ならず繁《しげ》き車輪《くるま》の轢《きしり》は、或《あるひ》は忙《せはし》かりし、或《あるひ》は飲過ぎし年賀の帰来《かへり》なるべく、疎《まばら》に寄する獅子太鼓《ししだいこ》の遠《とほ》響《ひびき》は、はや今日に尽きぬる三箇日《さんがにち》を惜むが如く、その哀切《あはれさ》に小《ちひさ》き腸《はらわた》は断《た》れぬべし。

元日快晴、二日快晴、三日快晴と誌《しる》されたる日記を瀆《けが》して、この黄昏《たそがれ》より凩《こがらし》は戦出《そよぎい》でぬ。今は「風吹くな、なあ吹くな」と優き声の宥《なだ》むる者無きより、憤《いかり》をも増したるやうに飾竹《かざりだけ》を吹靡《ふきなび》けつつ、乾《から》びたる葉を粗《はした》なげに鳴して、吼《ほ》えては走《はしり》行《ゆ》き、狂ひては引返し、揉《も》みに揉んで独《ひと》り散々に騒げり。微曇《ほのぐも》りし空はこれが為に眠《ねむり》を覚《さま》されたる気《け》色《しき》にて、銀梨子地《ぎんなしぢ》の如く無数の星を顕《あらは》して、鋭く沍《さ》えたる光は寒気《かんき》を発《はな》つかと想《おも》はしむるまでに、その薄明《うすあかり》に曝《さら》さるる夜の街《ちまた》は殆《ほとん》ど氷らんとすなり。

人この裏《うち》に立ちて寥々冥々《れうれうめいめい》たる四望の間に、争《いかで》か那《な》の世間あり、社会あり、……

読みのポイント

許嫁《いいなずけ》と言ってもいい鴫沢宮《しぎさわみや》が富山唯継《とみやまただつぐ》に嫁ぐと決めたのを知ったとき、間《はざま》貫一は熱海の海岸で宮を足蹴《あしげ》にして言いつのる。「一月の十七日だ。来年の今月今夜になつたならば、僕の涙で必ず月は曇らして見せるから（中略）月が……曇つたらば、宮さん、貫一は何処かでお前を恨んで、今夜のやうに泣いてゐると思つてくれ」と。海岸に銅像まで建っている有名な場面だ。

『金色夜《こんじきや》叉《しゃ》』は、近代が可視化されたものと可視化し得ないものとの両方に価値を見出《みいだ》したことをよく見抜いている。冒頭の「金剛石《ダイアモンド》」の繰り返しは滑稽《こっけい》なほどに可視化されたものの価値を示しているが、宮もまた自分の「美しさ」に「富貴《ふうき》」との交換価値があることを知っていた。それに対して、貫一は「愛情」で対抗しようとする。しかし、いくら貫一が力みかえっても「愛情」は目に見えない。それまで労働力だった一般の女性が専業主婦になる時代がはじまった。健康よりも「美しさ」が価値を持つようになるが、夫婦には「愛情」が求められるようにもなった。「美しさ」と「愛情」は両立するのか。『金色夜叉』は興味深い問いを投げかけている。

おざき・こうよう
（一八六八〜一九〇三）
江戸芝生れ。東京帝大予備門在学中の一八八五年に山田美《び》妙《みょう》らと硯友社《けんゆうしゃ》を起こし、機関誌「我楽多《がらくた》文庫」を発行した。ほかの作品に「三人妻」「多情多恨」など。

続きを読むには……
『金色夜叉』（新潮文庫）など。

教科書採録度★★

城のある町にて

梶井基次郎

「高いとこの眺めは、アアッ（と咳《せき》をして）また格段でごわすな」

片手に洋傘、片手に扇子と日本手拭《てぬぐい》を持っている。頭が奇麗に禿《は》げていて、カンカン帽子を冠《かぶ》っているのが、まるで栓をはめたように見える。――そんな老人が朗らかにそう云《い》い捨てたまま峻《たかし》の脇《わき》を歩いて行った。云っておいて此方《こっち》を振り向くでもなく、眼はやはり遠い眺望へ向けたままで、さもやれやれと云った風に石垣のはなのベンチへ腰をかけた。――

町を外れてまだ二里程の間は平坦《へいたん》な緑。I湾の濃い藍《あい》が、それの彼方《かなた》に拡《ひろが》っている。裾《すそ》のぼやけた、そして全体もあまりかっきりしない入道雲が水平線の上に静かに蟠《わだかま》っている。――

「ああ、そうですなあ」少し間誤《まご》つきながらそう答えた時の自分の声の後味がまだ喉《のど》や耳のあたりに残っているような気がされて、……

読みのポイント

『城のある町にて』は梶井版『城の崎《きさき》にて』（志賀直《なお》哉《や》）のような趣がある。『城の崎にて』は、「自分」が電車事故で負った傷を養生するために赴いた城崎温泉で、死を思いながらも精神的に立ち直るまでを書いた小品だが、『城のある町にて』は、妹の死を思いながら、「城のある町」の出来事に心を寄せるようになっていく青年を書いた小品である。

かじい・もとじろう
55頁参照。

手品師の粗野な仕種《しぐさ》に「不愉快」になった峻の気分がしだいに洗われていく心の動きなど、志賀文学そのものである。つくつく法師が鳴くのを観察して、「そしてふと蟬《せみ》一匹の生物が無上に勿体《もったい》ないものだという気持に打たれた」場面なども、『城の崎にて』で蜂《はち》の死骸《しがい》を観《み》て解脱《げだつ》（？）する場面と酷似している。

「城のある町」での峻は、親戚《しんせき》の少女たちをよく見ている。その町には都会にはないたしかな生活があると峻は感じて、特に少女たちから生きる力を得ている。「田舎」では何もかもがくっきりと輪郭づけられているからだ。国木田独歩が郊外を「発見」したように、梶井は、都会の明かりから「田舎」の「闇《やみ》」を「発見」したようだ。

続きを読むには……
『檸檬』（新潮文庫）など。

教科書採録度★★

ひばりの子

庄野潤三

その声は、ふいに正三《しょうぞう》の頭のま上で聞こえた。

それは、うれしくてたまらないような、ほんとうにかわいらしい声だった。その声は、正三の頭のま上の空から、いきなりうごきだしたぜんまい仕掛けのおもちゃの自動車かなにかのように、いきおいよく鳴りだしたのだ。

それを聞いた時、正三は思わず立ち止まって、

「あ、あのひばりの子だ。」

といった。

そういって、大いそぎで空を見上げたのである。

青い麦畑の中の道である。春休みになってからずっと雨ばかり降りつづいて、正三はすっかりへいこうしていたのだ。

正三はこんどから小学四年生。妹のなつめは二年生、……

読みのポイント

庄野潤三は第三の新人と呼ばれた作家たちの一人で、身辺雑記のようなテイストの小説に持ち味があった。

小学校四年生の正三は、生まれてからはじめて空を飛ぶようなひばりの子の「声」を聞いた。以前父から「ひばりの巣は、さがしてはいけないよ」と言われていたから探さなかった。フロイト流に言えば、「父による禁止」である。ところが、そのひばりの子はまるで落ちるかのように地面に降りてしまった。すると、どこかの男の子がひばりの子めがけて石を投げた。正三は「こらあ！　石を投げるなあ」と本気で怒ったが、相手は五年生ほど。

あわやという時、正三の口を衝《つ》いて出たのは「あれは、ぼくのひばりだ」という言葉だった。相手はあっけにとられたのか、喧嘩《けんか》にはならなかった。そう、このとき正三はひばりの子の「父」になっていたのだ。彼は父から与えられた「禁止の言葉」を自分の口から発したわけだ。「父による禁止」は世の中のルールであり、世の中のルールは「禁止」でできている。だから、少年がひばりの子を救った話とだけ読むのは無邪気すぎるというものだ。

しょうの・じゅんぞう（一九二一〜二〇〇九）大阪府生れ。九州帝大法文学部卒。海軍少尉《しょうい》、中学校教諭、放送会社勤務の後、作家業に専念。一九五五年「プールサイド小景」で芥川賞受賞。ほかの作品に「静物」「サヴォイ・オペラ」など。

続きを読むには……

『現代童話1』（福武文庫）など。

教科書採録度★★

くじらぐも

中川李枝子

四時間目のことです。一年二組の子どもたちがたいそうをしていると、空に、大きなくじらがあらわれました。まっ白い　くものくじらです。

「一、二、三、四」

くじらも、たいそうをはじめました。

のびたりちぢんだりして、しんこきゅうもしました。

みんながかけ足で運動場をまわると、くものくじらも、空をまわりました。

先生がふえをふいて、とまれのあいずをすると、くじらもとまりました。

「まわれ、右」

先生がごうれいをかけると、くじらも、空でまわれ右をしました。

「あのくじらは、きっと　学校がすきなんだね」

みんなは、大きな声で、……

読みのポイント

小学校一年生の体育の時間、空にはくじら雲。「くじら」が子どもたちを「ここへおいでよう」と呼ぶ。風が吹いて子どもたちは舞い上がり、「くじら」の背中へ。空を散歩して、無事学校へ帰った。それだけの話だが、ここには小学校の国語教材の特徴が実によく現れている。

石井桃子『ノンちゃん雲に乗る』がその典型だが、雲は人を惹《ひ》きつけてきた。『くじらぐも』は空という異界に行く話。しかし、空に何もなければ手がかりもきっかけもない。雲が人を惹きつけてきたのは、その向こうに無限の空を見るからだろう。

童話の仕掛けの王道は擬人化である。雲が「くじら」になって、さらにそれが話すとき、くじら雲は「人」になっている。それはいいことなのかどうか。自然は自然であってそれ以上でも以下でもないというところからしか、「対話」ははじまらないのではないだろうか。つまりは、通じないかもしれない可能性のなかにしか、「対話」はないということだ。それが「無限」に触れることでもあるのだが、擬人化はその厳しい現実に目隠しをする。それが「国語」だ。

なかがわ・りえこ
（一九三五〜）
北海道生れ。東京都立高等保母学院卒。保母として勤務しながら執筆を行なう。一九六二年、「いやいやえん」で厚生大臣賞、NHK児童文学奨励賞などを受賞。ほかの作品に「ぐりとぐら」「子どもはみんな問題児。」など。

続きを読むには……

『こくご　一下　ともだち』（光村図書出版）など。

教科書採録度★★

辛夷の花

堀 辰雄

「春の奈良へいって、馬酔木《あしび》の花ざかりを見ようとおもって、途中、木曽路《きそじ》をまわってきたら、おもいがけず吹雪《ふぶき》に遭《あ》いました。……」

僕は木曽の宿屋で貰《もら》った絵はがきにそんなことを書きながら、汽車の窓から猛烈に雪のふっている木曽の谷谷へたえず目をやっていた。

春のなかばだというのに、これはまたひどい荒れようだ。その寒いったらない。おまけに、車内には僕たちの外には、一しょに木曽からのりこんだ、どこか湯治にでも出かけるところらしい、商人風の夫婦づれと、もうひとり厚ぼったい冬外套《ふゆがいとう》をきた男の客がいるっきり。――でも、上松《あげまつ》を過ぎる頃から、急に雪のいきおいが衰えだし、どうかするとぱあっと薄日のようなものが車内にもさしこんでくるようになった。どうせ、こんなばかばかしい寒さは此処《ここ》いらだけと我慢していたが、みんな、その日ざしを慕うように、向うがわの座席に変わった。……

文学史上の堀辰雄は、『風立ちぬ』や『美しい村』など中期の軽井沢ものの作家として記憶されるだろうが、初期には『聖家族』に代表される心理主義の作品があり、後期にはこの『大和路・信濃路』に代表される古典回帰的な作品もある。

ほり・たつお 113頁参照。

読みのポイント

雪の降る中、木曽路を行く堀夫婦の列車。隣に乗っていた夫婦が辛夷《こぶし》の花が見えたと話している。「僕」が、本ばかり読んでいる妻に聞くと、妻はちゃんと見ていたと言う。「僕」はどこかに咲いている辛夷の花に雪国の春が訪れている様を想像する。

『辛夷の花』というタイトルにありがちな話だ。でもテーマは二つある。一つは春を待つ気持ち。これはある時期まで教科書の冒頭教材の定番だった。もう一つのテーマはいまだからわかる。妻は「わたしなぞは、旅先きででもなければ本もゆっくり読めないんですもの」と言う。そして、辛夷の花を見ていたのも妻。日々の家事の負担が大きかった時代に、生活していたのは妻だったのだ。「僕」は単なる空想家だった。それを書き留めた堀辰雄はようやく生活がわかりはじめていたのかもしれない。実はフェミニンな作品だ。

続きを読むには……

『大和路・信濃路』（新潮文庫）など。

教科書採録度★★

投網

井上 靖

この八月のおわりに、私は一年ぶりで郷里の伊豆の山村へ帰省したが、そのおり小学校時代二、三年上級だった巽辰吉《たつみたつきち》の死を知った。

辰吉が亡くなったのは半年ほど前の四月のはじめのことで、下田街道から少しはいった間道の、天城の峠に近い場所で、彼は山崩れのために土砂に埋まって死んだのであった。

私は小学校卒業以後、今日までに、ほんの二、三回しか巽辰吉とは顔を合わせていなかったが、帰省するたびに、だれかの口から、なんとなく彼の噂は耳にしていた。もちろんくわしい消息を知ろうはずはなかったが、彼が土地測量師、繭・木材などの仲買人、請負師といくつかの職業を転々としながら、しだいに財を築き、終戦後は昔から知られている旧家から大分の山葵沢《わさびざわ》を手に入れ、村では一、二のいい顔にのしあがっていた――その程度のことは知っていた。……

読みのポイント

『投網《とあみ》』はある感情の長い長い軌跡を書いた、小説とも随筆ともつかない作品だ。

老年となった「私」は、少年時代を過ごした山村で巽辰吉が亡《な》くなったことを知る。中学生時代の辰吉は投網の名手で、「私」は投網を打つ「精悍《せいかん》なまなざし」に憎しみを覚えた。軍隊や社会でも辰吉と同じ「まなざし」に出会ったが、いい気持ちはしなかった。死後、辰吉の長男が、辰吉の墓石の裏の略歴を書いてくれと頼みに来た。その時、辰吉が三〇代で目を悪くしていたことを知った。

「巽辰吉が目が悪かったとすると、私は長いあいだいったい彼の何と戦い、何を憎みつづけていたのであったろうか」。「私」の憎しみは、嫉妬《しっと》とも憧《あこが》れとも呼んでもいいはずのものだ。それを憎しみと感じなければならないほど、「私」の内面には激しさがあったのだろう。おそらく、それは「私」自身も気づいていないアイデンティティだった。「巽辰吉が目が悪かった」話を聞いた「私」は、亡くなった辰吉と和解しただけでなく、自分でも気づいていない自分とも和解したのである。つまり、自分を受け入れたのである。

いのうえ・やすし
（一九〇七〜一九九一）
北海道生れ。京都帝大哲学科卒。毎日新聞社で勤務しながら執筆。一九四九年「闘牛」で芥川賞を受賞。ほかの作品に「天平の甍《いらか》」「孔子」など。

続きを読むには……

『井上靖全集第四巻』（新潮社）など。

教科書採録度★★

田舎教師

田山花袋

四里の道は長かった。その間に青縞《あおじま》の市《いち》の立つ羽生《はにゅう》の町があった。田圃《たんぼ》にはげんげが咲き豪家の垣《かきね》からは八重桜が散りこぼれた。赤い蹴出《けだし》を出した田舎の姐《ねえ》さんがおりおり通った。

羽生からは車に乗った。母親が徹夜して縫ってくれた木綿の三紋《みつもん》の羽織に新調のメリンスの兵児帯《へこおび》、車夫は色の褪《あ》せた毛布《けっとう》を袴《はかま》の上にかけて、梶棒《かじぼう》を上げた。何となく胸が躍った。

清三《せいぞう》の前には、新しい生活がひろげられていた。どんな生活でも新しい生活には意味があり希望があるように思われる。五年間の中学校生活、行田《ぎょうだ》から熊谷《くまがや》まで三里の路《みち》を朝早く小倉服《こくらふく》着て通ったことももう過去になった。卒業式、卒業の祝宴、初めて席に侍《はべ》る芸妓《げいしゃ》なるものの嬌態《きょうたい》にも接すれば、平生《へいぜい》難かしい顔をしている教員が銅鑼声《どらごえ》を張上げて調子外れの唄《うた》をうたったのをも聞いた。一月二月《ひとつきふたつき》と経《た》つ中《うち》に、……

戦前には多くの学校小説が書かれた。明治維新後にできた国民全員が通う学校もその教師も、新しく知的な存在だったからだ。しかし、尋常小学校の教員は微妙な位置づけだった。師範学校は自治体が設置し、学費がないばかりか給付金があった。そのかわり、何年かは地元の教員となることが義務だった。向学心がありながら、貧しい青年が通ったのである。夏目漱石『坊っちゃん』で、中学生が師範学校生に「何だ地方税の癖に」と冷やかすのは、「貧乏人の癖に」という冷酷なニュアンスなのである。

読みのポイント

中学校をでながら貧しいので、埼玉・羽生の尋常小学校の代用教員（免許のない教員で、教員養成が間に合わなかったので珍しくはなかった）になった林清三も、野心を捨てきれなかった。文学を志すのも、それが元手のいらない「事業」だったからである。恋もして放蕩《ほうとう》もするが、日露戦争のさなかに結核で亡《な》くなった。

東京と田舎の差が大きかったこの時代、青年は「田舎教師」でいることを潔《いさぎよ》しとしなかったが、この作品はみごとな自然描写の中に、「田舎教師」の幸福と不幸とをくっきりと浮かび上がらせている。

たやま・かたい（一八七二〜一九三〇）栃木県邑楽《おうら》郡館林町（現在の群馬県）生れ。一九〇七年、女弟子との関係を露骨に告白した「蒲団《ふとん》」が文壇に衝撃を与える。ほかの作品に「生」「妻」「縁」など。

続きを読むには……

『田舎教師』（新潮文庫）など。

教科書採録度★★

前身

石川　淳

長助の前身はすっぽんであった。そのことは、たれも知らない。まして当人が知っているはずはなかった。おのれの前身を知っている人間があるだろうか。しかし、人間たれにしても、なにかのおりに、もしやと、おもいあたるということがある。おもいあたるということが完全に無いような人間はどうもバカの嫌疑をかけられても仕方があるまい。長助にはその嫌疑があった。

むかし、ある男がいた。そいつは刀を二本さしていたのだから、サムライというものにちがいない。あるとき、そのサムライが京にのぼることになった。もともと殺生《せっしょう》は大好物、魚なり、けものなり、一日でも殺して食わなくては生きているような気がしないという結構なうまれつきで、西国を立ってからも、道中あれを殺しこれを食い、当人の身は至ってつつがなく、さて淀《よど》川をのぼろうとて、三十石に乗りこんだ。舟の中には、人間のほかに生きものはなにも無い。無いとなると、この男、……

読みのポイント

江戸時代。貧乏人の長助が自分の前身はスッポンだったという夢を見て、腹を空《す》かして梨《なし》を売りに行って、それを買った男がかじったら石が出てきて、それが「稀代《きたい》の名玉」で金持ちになる。長助は「このおのれというやつは、未来の後身が夢に見るであろう前身を現在に生きていることになる」と思い至るが、自分の前身がスッポンだとまでは気づかなかった。

なんともヘンな小説で、教訓を引き出せそうもない。唯一《ゆいいつ》それらしいのは、夢の中のスッポンが、安全地帯を設けてもらったのは自由を奪われたのと同じことで、しかし、この不自由の感覚は自由が奪われるまでは自覚し得なかったという感想を抱くところか。ここには、自由という名の逆説がある。これを先の長助が思い至った思想（？）につなげてみよう。

いまの自分は前身と後身の間の現在を生きているにすぎない。だとすれば、私たちの生は運命と言うしかない。この運命は偶然の別名である。自由な主体こそがホントの自分だと思い込む近代人の人生観こそが不自由なのだ、という教訓を得たことにしよう。

いしかわ・じゅん（一八九九〜一九八七）東京生れ。東京外語学校仏語科卒。ジッドやモリエールなどの翻訳を手がける。一九三五年、「佳人」を発表、翌年「普賢《ふげん》」で芥川賞を受賞。ほかの作品に「マルスの歌」「紫苑《しおん》物語」など。

続きを読むには……

『歴史小説の世紀　天の巻』（新潮文庫）など。

教科書採録度★★

スーホの白い馬

大塚勇三　再話

　中国の北のほう、モンゴルには、ひろい草原がひろがり、そこに住む人たちは、むかしから、ひつじや、牛や、馬などをかっていました。

　このモンゴルに、馬頭琴《ばとうきん》という、がっきがあります。がっきのいちばん上が、馬の頭のかたちをしているので、ばとうきんというのです。けれど、どうしてこういう、がっきができたのでしょう？

　それには、こんな話があるのです。

　むかし、モンゴルの草原に、スーホという、まずしいひつじかいの少年がいました。スーホは、としとったおばあさんと、ふたりきりでくらしていました。スーホは、おとなにまけないくらい、よくはたらきました。まい朝、早く起きると、スーホは、おばあさんを助けて、ごはんのしたくをします。それから、二十頭あまりのひつじをおって、ひろいひろい草原に出ていきました。……

読みのポイント

モンゴルにある「馬頭琴」という楽器の由来を語る話である。スーホという羊飼いの少年が、白い馬を連れて帰ってきた。白馬はスーホの友のようになる。時は過ぎて、王が競馬大会を開催して勝者は娘と結婚させると言う。スーホが勝つが、貧しい羊飼いを軽蔑《けいべつ》した王は白馬を取り上げてしまう。しかし、白馬は王になつかず、振り落として逃げ帰る。矢を何本も受けた白馬は少年に抱かれて息を引き取るが、少年は白馬が自分の体を使って楽器を作ってくれと語りかける夢を見た。それが「馬頭琴」だ。

童話に必要な要素はそろっている。悪い王と善良な少年。友となる動物。少年はこんな王になろうとは思わないだろう。

大人はここから独裁者のあり方を学べばいい。ある一定の規則で権力をふるったのでは独裁者としてはまだ未熟。規則がわかれば対応できるからだ。気分で権力をふるってこそ一人前の独裁者である。ある基準で叱《しか》る教師はいい。それが社会の掟《おきて》だと学べばいいのだから。気分で怒る教師は手に負えない。これが独裁者である。この教師を上司と置き換えれば、身につまされる人も多いはずだ。

おおつか・ゆうぞう（一九一二〜二〇一八）中国安東（現・遼寧省丹東市）生れ。東京帝大法学部卒。出版社に勤務しながら、児童文学の翻訳を始める。モンゴル民話「スーホの白い馬」の翻訳で産経児童出版文化賞受賞。ほかの訳書に「長くつ下のピッピ」など。

続きを読むには……

『スーホの白い馬』（福音館書店）など。

教科書採録度★★

恩讐の彼方に

菊池寛

市九《いちく》郎《ろう》は、主人の切り込んで来る太刀を受け損じて、左の頬《ほお》から顎《あご》へかけて、微傷ではあるが、一太刀受けた。自分の罪を——縦令《たとえ》向うから挑《いど》まれたとは云《い》え、主人の寵妾《ちょうしょう》と非道の恋をしたと云う、自分の致命的な罪を、意識している市九郎は、主人の振り上げた太刀を、必至な刑罰として、譬《たと》えその切先《きっさき》を避くるに努むるまでも、それに反抗する心持は、少しも持ってはいなかった。彼は、ただこうした自分の迷から、命を捨てることが、如何《いか》にも惜しまれたので、出来るだけは逃れてみたいと思っていた。それで、主人から不義を云い立てられて斬《き》り付けられた時、有合せた燭台《しょくだい》を、早速の獲物として主人の鋭い太刀先を避けていた。が、五十に近いとは云え、まだ筋骨のたくましい主人が畳みかけて切り込む太刀を、攻撃に出られない悲しさには、何時《いつ》となく受け損じて、最初の一太刀を、左の頬に受けたのである。が、一旦《いったん》血を見ると、市九郎の心は、忽《たちま》ちに変っていた。彼の分別のあった心は、……

読みのポイント

菊池寛といえば、出版社・文藝春秋の創立者であり、芥川賞・直木賞の創設者としていまは知られているかもしれない。菊池寛は芥川龍之介と親しかった作家でもあった。無類のストーリーテラーで、上手すぎて通俗小説作家となった。

通俗小説のテーマは一つだ。『恩讐《おんしゅう》の彼方《かなた》に』も、タイトルが示すように、許すことがテーマである。父を殺した仇《かたき》・市九郎が出家して了海となり、毎年何人もが命を落とす難所の峠に二十一年の月日をかけて穴を穿《うが》った、その感動をともにしたことから、実之助が父の敵を許す物語。市九郎は他にも何人も人を殺《あや》めた極悪人である。やすやすと許されていいはずがない。そのために穴をも穿つ二十一年という、村人たちの軽蔑《けいべつ》が尊敬に変わる歳月が必要だった。

それだけでは感動はやってこない。この小説ははじめ市九郎視点から書かれるが、それが村人視点に変わり、最後は実之助視点になる。つまり、最後は許す実之助が強調されるように工夫されている。許されるのではなく許すこと。それがタイトルの意味だ。『藤十郎の恋』などもすばらしいが、教科書にはこっちかな。

きくち・かん
（一八八八〜一九四八）
香川県生れ。京都帝大英文科卒。「時事新報」記者を勤めるかたわら、短篇小説を発表し始める。一九二三年、「文藝春秋」を創刊、日本文藝家協会会長等を務めた。ほかの作品に「真珠夫人」「入れ札」など。

続きを読むには……

『藤十郎の恋・恩讐の彼方に』（新潮文庫）など。

教科書採録度★★

とんかつ

三浦哲郎

須貝はるよ。三十八歳。主婦。
同　直太郎。十五歳（今春中学卒業）。

宿泊カードには痩せた女文字でそう書いてあった。住所は、青森県三戸《さんのへ》郡下の村。番地の下に、光林寺内とある。

近くに景勝地を控えた北陸の城下町でも、裏通りにある目立たない和風の宿だから、こういう遠来の客は珍しい。

日が暮れて間もなく、女中が二人連れの客だというので、どうせ素泊りの若い男女だろうと思いながら出てみると、案に相違して地味な和装の四十年配の女が一人、戸口にひっそり立っている。連れの姿は見えない。

女は、空きがあれば二泊したいのだが、といった。言葉に、……

読みのポイント

寺の住職だった夫を亡《な》くした女性が、中学校を卒業したばかりの息子を僧侶《そうりょ》にしなければならず、有名な寺に入門させるために連れ立ってきた。修行中の息子に五年は会えない母は、好物のとんかつを注文する。ところが一年後に、母は怪我《けが》をした息子の見舞いに来た。宿の女将《おかみ》は迷わずとんかつを用意し、そこに来た息子はもうすっかり立派な僧侶になっていた。

三浦哲郎と言えば、短篇の名手だ。短篇の極意はテーマが一つに絞られていることと、解説しすぎないこと。前者は母子愛。国語教科書の文法は「父の不在」だが、その意味でもいかにも国語教科書にふさわしい。後者がいま難しくなっている。宿の人が親子心中を心配して「東尋坊《とうじんぼう》もあるし、越前岬も」と口にする。文脈から心中しそうなところだとはわかるが、ここは自殺の名所だという知識を前提として書かれている。適度な省略の美学があってこその短篇なのである。しかし、世代間の「世界」がちがいすぎて、こうした共通知識がいまは失われているのである。だから、最近の小説は短篇・長編を問わずいきおい解説的にならざるを得なくなっている。

みうら・てつお（一九三一〜二〇一〇）青森県生れ。早稲田大学仏文科卒。一九五五年、「十五歳の周囲」で新潮同人雑誌賞を受賞。一九六一年、「忍ぶ川」で芥川賞を受賞。ほかの作品に「少年讃歌《さんか》」「拳銃《けんじゅう》と十五の短篇」など。

続きを読むには……

『完本　短篇集モザイク』（新潮社）など。

教科書採録度★★

アルプスの少女ハイジ

ヨハンナ・シュピリ　遠山明子 訳

のどかなマイエンフェルト村から、一筋の小道が木立のある緑の野原を抜けて山の麓《ふもと》まで続いている。山は大きくいかめしく聳《そび》えたち、こちらの谷を見下ろしている。道が上りになると、やがてあたりは原野になり、丈の低い草木と山野草のかぐわしい香りが道行く者を迎え入れる。その先はそのままアルプスへと登る急な坂道になっていた。

ある晴れた六月の朝、地元の山育ちらしいがっしりした体つきの若い女が、子どもの手を引いて、その細い山道を登っていた。子どもの頰《ほお》はほてり、日焼けした肌が燃えるように赤く輝いている。それも無理はない。暑い六月の太陽が照りつけているのに、厳しい寒さから身を守ろうとでもするような厚着をしていたからだ。まだ幼い女の子で、年はせいぜい五つというところだろうか。ぽっちゃりしているのか、やせているのか、見た目ではよくわからない。少なくとも二枚、ひょっとして三枚、……

読みのポイント

スイスの女性作家ヨハンナ・シュピリが一八八〇年から八一年にかけて刊行し、世界で読まれている。日本では一九七四年に放映されたズイヨー映像制作（高畑勲《いさお》・宮崎駿《はやお》など）のアニメも有名。二〇二一年六月には光文社古典新訳文庫から遠山明子訳による完訳版が刊行された。時代背景にも触れた解説がいい。

スイスのアルプスに祖父アルムと住むハイジは、叔母によってフランクフルトの裕福なゼーゼマン家に、足が不自由な少女クララの勉強相手として預けられ、その純真な性格からゼーゼマン家の人々に愛されるが、山の生活が恋しくて帰郷する。そこへクララが静養に来て、アルムの努力などで歩けるようになったのだった。

アルプスの自然がクララやフランクフルトの人々を癒《いや》す結末は、「自然に帰れ」といういかにも国語教科書的なメッセージだ。一方、ハイジが慕うおばあさんが神様に感謝する言葉で小説が締め括《くく》られるように、信仰のなんたるかを知らなかった自然の子ハイジをキリスト教で文明化する小説でもある。日本ではおそらく後者がきちんと読まれなかったがゆえに、教科書教材となったのだろう。

シュピリ　ヨハンナ
（一八二七〜一九〇一）
スイスの児童文学作家。代表作は『子供と子供を愛する人々のための物語』（全十六巻）。

続きを読むには……
『アルプスの少女ハイジ』（光文社古典新訳文庫）など。

教科書採録度★★

自転車

阿部　昭

私は町の自転車屋というものがいまだに一軒として店をたたまず、それどころか大いに繁昌しているらしいのが不思議でならなかった。色とりどりの正札のついた最新型の自転車が彼等のショーウインドーにずらりと並んでいるのを横目で見ながら、私はあんな物を売りつけられないでも済む方法をみつけたつもりでいた。その方法によれば、私の家では向う十年でも二十年でも一台の自転車も購入せずに済ませられるはずであった。というのも——よその土地のことは知らず——私が住んでいるこの海辺の町では、未だ十分使用に耐える自転車を道ばたに遺棄することが流行《はや》りだしていたからである。

この地区の「粗大ゴミ」集合所に指定されている近所の原っぱに行くと、自転車ならスクラップ並みの古いのからほとんど新品同様のまで、大人用から小児用まで、あらゆるタイプとサイズの自転車が何台も捨ててあった。……

読みのポイント

阿部昭はいわゆる「私小説作家」という位置づけで、「私小説」（文学史上は「わたくししょうせつ」と読む）とは、身辺の取るに足らないことを書く小説である。「つまらないこと」を書くのが「私小説」の特色の一つと言ってもいいくらいだ。もちろんこれは逆説で、「つまらないこと」が面白くなくては、よい小説読みとは言えないのである。

　この小説は、教科書教材としてはあまり馴染《なじ》みがないかもしれない。常々粗大ゴミを捨てに来る連中に嫌悪《けんお》を抱いていた「私」が、子供の自転車を粗大ゴミ置き場にあさりに行くと、もう目当ての自転車はとっくに持ち去られていたという話だ。まだ使えるモノ（ペットまでも！）を平気で捨てる、無限に拡大する消費社会の欲望批判。そうかもしれない。結局、自分も粗大ゴミのおこぼれに与《あずか》ろうとするいじましい大衆でしかないことを自覚する「私」の自意識の物語。そうかもしれない。ポイントはもう一つある。たとえ惨《みじ》めな欲望であっても、それがこの五人家族の心を一時まとめ上げたことだ。そこに家族の不思議がある。

あべ・あきら
（一九三四〜一九八九）
広島市生れ。東京大学仏文科卒。東京放送のディレクターを経て、執筆活動に入る。ほかの作品に「司令の休暇」「千年」など。

続きを読むには……

『無縁の生活・人生の一日』（講談社文芸文庫）など。

教科書採録度★★

ヒロシマの歌

今西祐行

わたしはその時、水兵《すいへい》だったのです。広島から三十キロばかりはなれた呉《くれ》の山の中で、陸戦隊《りくせんたい》の訓練《くんれん》を受けていたのです。そしてアメリカの飛行機が原爆《げんばく》を落とした日の夜、七日の午前三時ごろ、広島の町へ行ったのです。

町の空は、まだ燃え続けるけむりで、ぼうっと赤くけむっていました。ちろちろと火の燃えている道を通り、広島駅の裏にある東練兵場《ひがしれんぺいじょう》へ行きました。

ああ、その時のおそろしかったこと。広い練兵場の全体が、黒々と、死人《しにん》と、動けない人のうめき声で、うずまっていたのです。

やがて東の空がうす明るくなって、夜が明けました。わたしたちは、地獄《じごく》の真ん中に立っていました。本当に、足のふみ場もないほど人がいたのです。暗いうちは見えませんでしたが、それがみなお化《ば》け。目も耳もないのっぺらぼう。……

いまにし・すけゆき
69頁参照。

読みのポイント

呉の山中で訓練を受けていた水兵の「わたし」は、原爆が投下された日の夜に広島市内に入り、死んだ母親から赤ん坊を抱き取り、荷車を引く夫婦に預けた。七年後、その夫婦が実の娘ヒロ子として育てていることを知り、再会した。ヒロ子が洋裁学校で学んでいるとき、実の母が別にいることを話した。翌日、「わたし」はヒロ子から徹夜で縫い上げたワイシャツを贈られた。

いわゆる平和教材である。ヒロ子がすべてを受け入れたハッピーエンドのような終わり方でなければ、教材にはならなかっただろう。重要なことは、なぜこういう終わり方が可能だったのかだ。それはヒロ子の視点から書かなかったからだ。ヒロ子にはここに書ききれないようなたくさんの物語があったはずで、そもそも短篇にはならなかっただろう。「わたしはその時、水兵だったのです」。この一文がたくさんのことから目をそらすことになってはいないだろうか。それを責めているのではない。こういうところにもジェンダーの問題があり、それが平和教材の質にかかわっていることにもっと注意を払っておいたほうがいいと言いたいだけだ。

続きを読むには……

『一つの花』（ポプラポケット文庫）

教科書採録度★

石段 〜 星の王子さま

教科書採録度★

石段

三浦哲郎

その石段の途中に、彼はひとりで、長いこと腰を下ろしていたことがある。もう十年も前の夏のことだ。

ひどく暑かった日の暮れ方で、その神社の杉木立のなかの石段にもまだ昼のほとぼりが残っていた。彼はそこに、浴衣でじかに腰を下ろして、膝の上に組んだ腕をのせていた。彼の足許から二、三段下には、もぐらの死骸が一つ転がっていて、そこに前の鳥居をくぐり抜けてきた西日の先が当っていた。

けれども、そのもぐらを殺したのは、彼ではなかった。また、彼はその死んでいるもぐらを眺めるためにそこに腰を下ろしているのでもなかった。彼はただ、日蔭の坐り場所を探してそこへきただけであった。

腰を下ろして、ふと足許の方へ目を落すと、そこに湿った土くれのようなものが転がっている。しばらくしてから、この暑さで物がみな干上っているというのに、……

父となった男が、一度は酒に酔ったまま子供を「高い高い」しすぎて怪我《けが》をさせ、後年には犬の散歩中に寺の階段から犬ともども転げ落ちた子供をまったく助けられなかった話。

みうら・てつお
183頁参照。

読みのポイント

文学はそれと知らずに前の文学に似てしまうことがあるが、本歌取りのように意識して似せることもある。文学が身近でなくなると、こうした機微がわからなくなる。『石段』の冒頭を読めば、誰でも芥川龍之介『羅生門』を想起するだろう。あの平安時代の何ものでもない若者を書いた国民的短篇である。たぶん本歌取り。何ものにもなれない若者が、父親という家族にもなれない男に重ねられている。国語教科書の中の父は、かくも不器用なのだ。「父の不在」という国語教科書の文法は、残酷なほどにみごとに機能している。

もう一つ想起する短篇は、梶井基次郎『路上』。「路上」に「旅情」を感じる青年が、雨上がりで危ないと思いながらも、坂道を滑り降りることを止《や》められない一場面がある。人はひとたび運命に身を任せたら、その道を行くところまで行くしかない。一種の運命論である。父という家族の運命？　国語教科書はあまりにも残酷だ。

続きを読むには……

『拳銃と十五の短篇』（講談社文芸文庫）など。

教科書採録度★

高野聖

泉　鏡花

「参謀本部編纂《へんさん》の地図を又繰開いて見るでもなかろう、と思ったけれども、余りの道じゃから、手を触《ふる》るさえ暑くるしい、旅の法衣《ころも》の袖《そで》をかかげて、表紙を附けた折本になってるのを引張り出した。

飛騨《ひだ》から信州へ越える深山《みやま》の間道で、丁度立休らおうという一本の樹立《こだち》も無い、右も左も山ばかりじゃ。手を伸ばすと達《とど》きそうな峰があると、その峰へ峰が乗り、巓《いただき》が被《かぶ》さって、飛ぶ鳥も見えず、雲の形も見えぬ。

道と空との間に唯《ただ》一人我ばかり、凡《およ》そ正午と覚しい極熱《ごくねつ》の太陽の色も白いほどに冴《さ》え返った光線を、深々と戴《いただ》いた一重《ひとえ》の檜笠《ひのきがさ》に凌《しの》いで、こう図面を見た」

旅僧はそういって、握拳《にぎりこぶし》を両方枕《まくら》に乗せ、それで額を支えながら俯向《うつむ》いた。

道連《みちづれ》になった上人《しょうにん》は、名古屋からこの越前敦賀《つるが》の旅籠屋《はたごや》に来て、今しがた枕に就いた時まで、私《わたし》が知ってる限り余り仰向けになったことのない、……

読みのポイント

泉鏡花随一の名作のように言われている『高野聖《こうやひじり》』には、少なくとも四つの対立項が書き込まれているようだ。

第一は、近代化される現世と過去の世界とも言える異界との対立。近代化の波は、冒頭の「参謀本部編纂の地図」と「汽車」が際立《きわだ》たせている。異界では現世の法理は働かず、美しい女が妖怪《ようかい》となる。この反近代の感性は、大急ぎの近代化について行けない人たちを魅了しただろう。近代と反近代の対立という第二の対立項である。

高野聖と女の色香は、聖と俗という第三の対立項を浮かび上がらせる。高野聖を見送る「ちらちらと雪の降るなかを次第に高く坂道を上る聖の姿、あたかも雲に駕《が》して行くように見えたのである」という最後の一文が、彼の聖性をかもしだしている。ただし、俗は異界の中にある。異界の懐《ふところ》は深く、現世の欲望を包み込むようだ。そして第四は女と男の対立項。近代の知識人男性は知的な女性を知りたいと思ったから、『婦人の心理』のような本が多く書かれた。それでもわからないから、女を「謎《なぞ》」の存在として囲い込んだ。『高野聖』に働いているのは、こうした力学の束である。

いずみ・きょうか
(一八七三〜一九三九)
金沢生れ。北陸英和学校中退。尾崎紅葉に師事。一八九五年に発表した「夜行巡査」「外科室」で新進作家としての地歩を固めた。ほかの作品に「婦系図《おんなけいず》」「歌行燈《うたあんどん》」など。

続きを読むには……

『歌行燈・高野聖』(新潮文庫)など。

教科書採録度★

岳物語

椎名　誠

私の息子の名前は岳《がく》という。両親ともに山登りが好きだったので、山岳の岳というのを名前にしたんだよ、と、本人にはじめておしえてやったのは保育園に通っている頃であった。

「ふーん、そうかあ」

と、息子はたいして面白くもなさそうな顔ですこしだけうなずいてみせた。

私はあまり稼ぎのよくないよろず雑文書きというような仕事を自宅でやっており、妻は息子の行っているところとは別の保育園で保母をしていた。保母というのは朝出かけるのが実に早く、七時までには家を出てしまうので、必然的に保育園に子供を預けに行ったり引きとりに行くのは私の仕事であった。

保育園というのは子供たちにとってはその時期の人生すべて、というようなところで、ひとたび園庭に入ると、……

読みのポイント

冒険家で作家としても有名な椎名誠の「私小説」である。椎名一家の日々の生活をめぐる多くのエピソードからなるが、中心は両親が山登りが好きだったから山岳の「岳」を名前にした一人息子の保育園時代から中学入学までの成長物語にある。

椎名誠が友情物語と読んでほしいと言うように、親子ともども勉強にはまったく関心がなく、学校をサボってまで釣りやら川下りやらに出かけてしまい、親子で血だらけになってプロレスをやる破天荒な子育てである。岳は「自分でできることは自分でやる」というたった一つの教育方針にしたがって、父親は親友に「からまりすぎ」だと忠告され、母親は先生に「かまわなすぎる」と注意されながら、心身ともに実にたくましく成長する。

岳の散髪は椎名誠がバリカンで坊主《ぼうず》にしていたが、あるとき岳がそれをいやがった。「おとうの気まぐれで刈られるのが嫌だ」と。父親は反抗期だと思うが、母親は「オトコの自立期」なのだと言う。それで父親も気持ちの整理がついた。この反＝学校的物語にあるたった一カ所だけの学校物語的なエピソードである。

しいな・まこと
（一九四四〜）
東京生れ。東京写真大学中退。流通業界誌編集長を務めながら、「さらば国分寺書店のオババ」でデビュー。一九八九年、「犬の系譜」で吉川英治文学新人賞を受賞。ほかの作品に「アド・バード」「哀愁の町に霧が降るのだ」など。

続きを読むには……

『岳物語』（集英社文庫）など。

教科書採録度★

パニック

開高 健

飼育室にはさまざまな小動物の発散するつよい匂《にお》いがただよっていた。その熱い悪臭はコンクリートの床や壁からにじみでて、部屋そのものがくさって呼吸をしているような気がした。いくつもの飼育箱は金網やガラス戸がはめられ、鍵《かぎ》がかけられてあったが、動物の尿は箱からもれて床いちめんに流れていた。入口からさした光線と人間の気配に動物たちはいっせいにざわめきだした。どの箱でもとじこめられたけもののたてる足音や金網をひっ掻《か》く爪音《つめおと》がさわがしく起った。

「餌《えさ》不足でね、連中飢えてるんでサ」

俊介と課長のさきに立った飼育係が説明した。彼は手にネズミの入った金網の籠《かご》をさげていたので、けものたちは彼が箱の前を通ると金網の内側をいそがしく走りまわった。どのけものもやせこけてけわしい体つきをしている。毛は汚物でぬれ、かたまって針のようにとがっていた。そして、……

読みのポイント

笹《ささ》は一二〇年に一度花を開いて実を結ぶ。その実を求めて鼠《ねずみ》が大発生して、ある地方がパニックに陥る。その対応に失敗した役人の責任のなすりあい。そして、あっけない幕切れ。この小説が発表された一九五七年という時代を考えれば、これはまごうかたなき戦後文学の傑作に数えていい。

鼠は極端に臆病《おくびょう》だが、ひとたび「狂的でもあれば発作的でもある」ような「集団に編入され」ると、ふだんの理性（?）を失う。これは、戦時からいまへと引き継がれた「日本国民」の比喩《ひゆ》でなくてなんだろう。危機を予告されながら放置して、いったんパニックになると責任を逃れ、揚げ句の果てには鼠の大発生自体をなかったことにしてしまおうとする役人たち。これが戦前から現代へと連綿と続く官僚機構の告発でなくてなんだろう。

官尊民卑の気風はいまも確実にあるから、この小説はそのまま現代に置き換えてもいい。しかし、集団や組織となれば、民間でも同じことだ。近代文学は孤独を書き続けてきた。「ひとり」に耐えること。文学から学ぶことは、そういうことでもある。

かいこう・たけし
（一九三〇〜一九八九）
大阪市生れ。大阪市大卒。一九五八年、「裸の王様」で芥川賞を受賞。ほかの作品に「日本三文オペラ」「玉、砕ける」など。

続きを読むには……

『パニック・裸の王様』（新潮文庫）など。

教科書採録度★

雨傘

川端康成

濡れはしないが、なんとはなしに肌《はだ》の湿る、霧のような春雨だった。表に駆け出した少女は、少年の傘を見てはじめて、

「あら。雨なのね?」

少年は雨のためよりも、少女が坐《すわ》っている店先きを通る恥かしさを隠すために、開いた雨傘《あまがさ》だった。

しかし、少年は黙って少女の体に傘をさしかけてやった。少女は片一方の肩だけを傘に入れた。少年は濡れながらおはいりと、少女に身を寄せることが出来なかった。少女は自分も片手を傘の柄《え》に持ち添えたいと思いながら、しかも傘のなかから逃げ出しそうにばかりしていた。

二人は写真屋へ入った。少年の父の官吏が遠く転任する。別れの写真だった。

「どうぞお二人でここへお並びになって。」と、写真屋は長椅子《ながいす》を指したが、……

少年の父の官吏が遠くへ転任するので、小雨の降る日に記念の写真を少女と写真館で撮る話。それだけだ。

かわばた・やすなり
63頁参照。

読みのポイント

しかしまあ、よくこの小品が教材となったものだと思う。

はじめに否定的なニュアンスの言葉が集中している。「隠すために」「黙って」「出来なかった」「逃げ出しそうに」などなど。二人の距離感。それが、少年が少女に「髪は？」と声を掛けたことで一変する。少年が声を掛けられたのは、その前に彼が「椅子を握った指を軽く少女の羽織に触れさせた」からである。「少女の体に触れた初めだった。その指に伝わるほのかな体温で、少年は少女を裸で抱きしめたような温かさを感じた」。これは初夜だ。だから、そのあとに少女にほつれ髪を直したらと言うのだ、床で乱れた髪を。

写真を撮り終えて外へ出た少女は、自分でも気づかないうちに少年の傘を持っていた。「彼女が彼のものだと感じている」かのように。そのあとの「言えなかった」「出来なかった」は、二人の距離がなくなっていることを示している。二人はもう「夫婦」。この傘、フロイトでなくとも……ね？

続きを読むには……

『掌の小説』（新潮文庫）など。

教科書採録度★

神馬

竹西寛子

その廏舎《きゅうしゃ》は、潮風をまともに受けていた。

島の山裾《やますそ》に建っている、わずか一頭の馬のための小屋でしかなかったけれど、神社への参詣人は、この前を通らなければ、本殿に入ることも境内から出ることもできなかった。馬は、「神馬《じんめ》」であった。

潮が退《ひ》くと、島の砂浜にはいくつもの水溜りが残る。大きな水溜りでは、逃げおくれた小さな魚が厚い砂の壁に頭を打ちつけたが、明るい、澄んだ水の中の魚は、時々目玉と骨だけになって直進するように見えた。淡紅色の腸《はらわた》ひとつで水を切るようにも見えた。

連絡船は、日に幾度も陸地とこの島の間を往《ゆ》き来《き》する。砂浜では、よく烏《からす》の子が首をかしげていた。烏の声を不吉の前兆と聞く人もいるが、もしそうなら、この島は年中忌日になってしまう。神社の祭の日も、若者の婚礼の日も、……

読みのポイント

一九二九年広島生まれ。高等女学校在学中に被爆。多くの級友を失う。竹西文学を考えるとき、被爆体験から離れることはできない。戦後早稲田大学を卒業し、編集者として一〇年間働いた。この時代に、あまり体が丈夫でない女性が働くのは辛《つら》いことだった。この体験抜きに竹西文学を語ることもできない。

厩舎には神馬が飼われていた。参拝客が人参《にんじん》と麦を買って与えて、「お廻り」と命じると、神馬は狭い厩舎を一回りするのだった。少女は悲しくなった。神馬は弱っていくようだったが、あるとき少女の前で人参を食べた神馬は、命じられていないのに厩舎を廻り続けた。それを見た少女は「不仕合せ」になっていた。

たとえば、動物園の狭い檻《おり》に入れられたサイは角を壁に当て続けている。一種の神経症のようなものだと言う。それを見る私たちは、人生の徒労感のようなものを感じてしまう。少女はもうそれを感じてしまったわけだ。しかも、それはサイではなく神馬だった。日本の象徴。竹西には古典に関する評論も多いが、この少女はもう日本に疲れてしまっているのではないだろうか。

たけにし・ひろこ
（一九二九〜）
広島市生まれ。早稲田大学国文科卒。河出書房、筑摩書房に勤務。一九五八年頃から、丹羽文雄主宰の「文学者」などに評論を書く。一九八一年、「兵隊宿」で川端康成文学賞を受賞。ほかの作品に「鶴《つる》」「管絃祭《かんげんさい》」など。

続きを読むには……

『蘭』（集英社文庫）など。

教科書採録度★

火垂るの墓

野坂昭如

省線三宮駅《さんのみやえき》構内浜側の、化粧タイル剝《は》げ落ちコンクリートむき出しの柱に、背中まるめてもたれかかり、床に尻《しり》をつき、両脚まっすぐ投げ出して、さんざ陽《ひ》に灼《や》かれ、一月近く体を洗わぬのに、清太の痩《や》せこけた頰《ほお》の色は、ただ青白く沈んでいて、夜になれば昂《たか》ぶる心のおごりか、山賊の如《ごと》くかがり火焚《た》き声高にののしる男のシルエットをながめ、朝には何事もなかったように学校へ向かうカーキ色に白い風呂敷《ふろしき》包みは神戸一中ランドセル背負ったは市立中学、県一親和松蔭《しょういん》山手ともんぺ姿ながら上はセーラー服のその襟《えり》の形を見分け、そしてひっきりなしにかたわら通り過ぎる脚の群れの、気づかねばよしふと異臭に眼《め》をおとした者は、あわててとび跳ね清太をさける、清太には眼と鼻の便所へ這《は》いずる力も、すでになかった。

三尺四方の太い柱をまるで母とたのむように、その一柱ずつに浮浪児がすわりこんでいて、彼等《かれら》が駅へ集まるのは、入ることを許される只《ただ》一つの場所だからか、……

読みのポイント

『アメリカひじき』とともに、直木賞作。長々と続く文体で新戯作《げさく》派とも。一九三〇年生まれの野坂は、戦争に行かずに戦後民主主義に投げ出された「焼跡闇市《やみいち》派」世代として独特の人生観を持ち、破天荒な生き方を選んだ。『火垂《ほた》るの墓』は野坂の体験が元になっており、野坂自身が「僕は妹を殺した」と自分を責め続けたことで、いわば戦争責任と戦後責任を背負ってみせた。

物語は敗戦後の神戸・三宮駅構内で、自らの汚物にまみれながら清太が衰弱死する場面から始まる。彼が持っていたドロップの缶には妹の小さな骨が入っていた。中学三年の清太は敗戦直前の空襲で病身の母を亡《な》くし、妹の節子を背負って生きようとして、親戚《しんせき》にも身を寄せるが邪魔者扱いされ、家の傍の横穴で二人きりになる。ついに節子は蛍の飛び交うその横穴で衰弱死した。

国語教科書では平和教材の扱いで、多くの場合、スタジオジブリのアニメ『火垂るの墓』を児童に見せる。教師には悲しみがわくが、児童は怖いと思う。そう、戦争は悲しいものではなく怖いものだと、児童にはよくわかる。

のさか・あきゆき（一九三〇〜二〇一五）神奈川県生れ。早稲田大学中退。CMソングの作詞者などを経て、執筆活動に。一九六七年、「火垂るの墓」「アメリカひじき」で直木賞を受賞。ほかの作品に「一九四五・夏・神戸」「戦争童話集」など。

続きを読むには……

『アメリカひじき・火垂るの墓』（新潮文庫）など。

教科書採録度★

洟をたらした神

吉野せい

ノボルはかぞえ年六つの男の子である。墾したばかりの薄地に播《ま》かれた作物の種が芽生えて、ぎしぎしと短い節々の成長を命がけで続けるだけに、肥沃《ひよく》な地に育つもののふさふさした柔根《やわね》とはちがう、むしりとれない芯を持つ荒根を備える。バランスを外した貧しい食物で育てられていても、細い骨格ながら強靭《きょうじん》に固くしまっている。ノボルはそんな子だ。たまに古いバリカンで虎刈りするだけなので、土埃をかむった頭髪はぼさぼさと、両耳をかくすほどのびているが、頬は丸々としてあどけない。突っ放されたところで結構ひとりで生きている。甘えたがらない。ものをねだりもしない。貧しい生活に打ちひしがれての羽目を外した私たちの無情なしつけに、時に阿呆のように順応している。

いつも根気よく何かをつくり出すことに熱中する性だ。小刀、鉈《なた》、鋸《のこぎり》、錐《きり》。小さい手が驚くほど巧みにそれを使いわける。青洟《あおばな》が一本、……

読みのポイント

吉野せいは七〇歳過ぎまで一人の農婦だった。最終学歴は尋常小学校に続く高等小学校卒業。二年間小学校教員として働いたときに詩人の山村暮鳥《ぼちょう》の知遇を得て指導を受けた。

ノボルは貧しい農家の子で、いつも青洟を垂らしている（栄養状態が悪いとこうなる）。子守があるのでめったに仲間の遊びにも参加できないが、「いつも根気よく何かをつくり出すことに熱中する性」だった。ヨーヨーが流行したとき、母親である「私」は二銭を惜しんで買わなかったが、黒島伝治の、一銭を惜しんだばかりに子供が事故で死んでしまう作品（「二銭銅貨」）が頭から離れない。ところが、ノボルは自分でみごとなヨーヨーを作ったのだった。

志賀直哉《なおや》『清兵衛《せいべえ》と瓢簞《ひょうたん》』を彷彿《ほうふつ》とさせる物語で、タイトルも『小僧の神様』を思わせるが、最後は「それは軽妙な奇術まがいの遊びというより、厳粛な精魂の怖ろしいおどりであった」と結ばれる。ここには串田孫一《くしだまごいち》が「序」で「刃毀《はこぼ》れなどどこにもない斧で、一度ですぱっと木を割ったような、狂いのない切れ味」と評したすごみがある。このすごみを損なわずに教室で教えられるのだろうか。

よしの・せい
（一八九九～一九七七）
福島県生れ。高等小学校卒業後、小学校教員に。一九七五年、「洟をたらした神」で大宅壮一ノンフィクション賞、田村俊子賞を受賞。ほかの作品に「暮鳥と混沌」「道」など。

続きを読むには……

『洟をたらした神』（中公文庫）など。

教科書採録度★

みどりのゆび

吉本ばなな

電車の中でうとうとしていたので、半分夢を見ているような感じだった。駅の名を聞いて、慌てて降りた。ホームは冬のきびしい空気ではりつめた感じがしていた。マフラーをしっかりと巻きなおして改札を出た。

タクシーに乗って宿に行ってほしい、と告げたら、運転手さんは場所がわからないと言った。新しい小さな宿だしあまり宣伝もしてないみたいな様子だったのを思い出し、だいたいの住所で降ろしてもらうことにした。

まわりは畑ばっかりで、遠くになだらかな山が見えた。宿を示す小さな看板を見つけて、私はその指示にしたがって、細い坂道を登って行った。

寒さにも慣れてきて、きれいな空気を嬉しく思った。次第に目が覚めてきて、うっすらと汗すらかいていたその時、私は前方に知っている誰かの気配を感じた。

家の前の道路にアロエがはみだして困ったね、という話題が出たのは、……

読みのポイント

吉本ばななは、『キッチン』で鮮烈なデビューを果たし、その後しばらくは刊行する小説がことごとくベストセラーになった。高名な思想家吉本隆明《たかあき》を父に持つことでも有名になった。そこで、時流に敏感な国語教科書は是非とも吉本ばななの小説を収録したがったが、どの小説もセックスの話が出て来るので、多くの教科書が『みどりのゆび』を収録することになった。

おばあちゃん子だった「私」がその祖母の死に寄り添う話。祖母は、大きくなりすぎて切ろうという話が出ていたことを知らないはずなのに、そのアロエを切らないでと言うのを「私」だけが聞き、バーテンダーを辞めて花屋をめざす。そして、旅行先ではアロエと一体化する感じを味わったのだった。

「電車の中でうとうとしていたので」という冒頭は、夏目漱石『三四郎』の冒頭「うとうととして眼が覚めると」を想起させるし、花と一体化した「私」は、やはり花になりたかった『それから』の三千代を想起させる。漱石文学の本歌取りのような趣ながら、死から生を書くところに吉本文学の神髄がさりげなく生かされている。

よしもと・ばなな
（一九六四〜）
東京生れ。日本大学芸術学部文芸学科卒。一九八七年、「キッチン」で海燕《かいえん》新人文学賞を受賞。一九八九年、「TUGUMI」で山本周五郎賞を受賞。ほかの作品に「さきちゃんたちの夜」「花のベッドでひるねして」など。

続きを読むには……
『体は全部知っている』（文春文庫）など。

教科書採録度★

岩尾根にて

北杜夫

その岩場は、遠くから私の目を惹《ひ》いた。鼠色《ねずみいろ》の岩の肌《はだ》はところどころ青みがかり、そこに、横から切れこむように幅狭いチムニーが走っていた。

登山路から大分離れて、殊《こと》さら岩質を調べにきたりするのは、若い時分に養われた習性に近いものがある。それに私はここ数年、岩らしい岩に接していなかった。つづけて二人の、同じザイルに繋《つなが》った仲間を失って以来、強《し》いて山から遠ざかっていたのである。

山の側面に広がった岩場の、突起や亀裂《きれつ》や庇岩《ひさしいわ》を久方ぶりに目で追いながら、石の破片が散乱しているチムニーの根元にたどりついた頃《ころ》には、すでに巨大な岩塊の妖《あや》しい魅力が私を捉《とら》えていたらしい。薄暗いチムニーの内壁の岩は湿っていて、だが初めの予想より足場や手懸りに不足はなさそうだ。見上げると、絶壁に刻みつけられた巨大な溝《みぞ》は、次第に狭まりながら中途で折曲って消えている。……

読みのポイント

北杜夫は、精神科医であり作家であり登山家でもあり、のちに随筆家「どくとるマンボウ」にもなった。『岩尾根にて』は精神科医と作家と登山家が書かせた小説である。

一人で三千メートル級の山に登る「私」。ところが、途中で蠅《はえ》のたかった死体を見て、さらには危なっかしい姿で岩登りをしていた男が座っているのに出会った。ところが、その男も「私」が下りてくるのを見ていたというのだ。男は「朦朧《もうろう》状態とかいう」病気だと言う。二人は、「正気」の中にも「不安定」なものがあることを確認し合う。高山が人の精神を剝《む》き出しにしていく。

これは会話の形を採ったモノローグであり、「正気」の形を採った「狂気」でもある。しかし、二人は知らぬ間にもう一人に見られてもいたのである。そして、もう一人にたぶん「狂気」を見ていた。二人は同じ死体を見ていた。その死体は二人でもある。だとすれば、「私」は「自分」の形を採った「他人」であり、「生」の形を採った「死」でもある。最後に「私」は、「ゆっくり行きましょう」と繰り返す。では、いったいどこへ急いでいたというのだろうか。

きた・もりお
（一九二七～二〇一一）
東京生れ。東北大医学部卒。一九六〇年、半年間の船医体験をもとに「どくとるマンボウ航海記」を刊行し、ベストセラーに。同年、「夜と霧の隅で」で芥川賞を受賞。ほかの作品に「楡《にれ》家の人びと」「青年茂吉」など。

続きを読むには……

『夜と霧の隅で』（新潮文庫）など。

教科書採録度★

少年

北杜夫

ゆうぐれ、川原の土手の草のなかに、ぼんやりと寝ころんでいた。見あげる空が突きぬけてひろかった。

川水の音を聞きながら、ぼくは考えた。空のふかさについて。そのふかさにつもる時間について。時間のひとすみにうごめく人間について。

そしたら思わず嚔《くしゃみ》がでて、ぼくというちっぽけな人間なんか、世にもつまらなく思われた。そこらにころがっている木の根っこと変りがない。そんなふうにして、ぼくはたそがれてゆく空のかげりを長いあいだ眺めていた。このまま木の根っこになってしまえばよい。わざと、木の根っこのふりして、じっとしていた。

ところが、やぶ蚊が一匹二匹と耳もとでうなり声を立てはじめた。ズボンからはみでた足を喰われて、ぼくはもじもじと軀《み》をうごかし、ほとんど木の根っこの状態を中止しようとした。すると頭のうえをヒュッと掠めたものがある。……

読みのポイント

旧制松本高等学校に進学した時のことをもとに書かれた、散文詩のような趣のある小説だ。「四修」で進学したとあるのは、当時五年制だった中学校の四年次で高等学校受験ができる制度を指す。「四修」は秀才の代名詞だった。

「ぼく」が自分が幼いと思うのは、一つは彼が「四修」で入学したからだ。その「ぼく」が自分の成長を実感できるのは性慾《せいよく》によってだった。それを「あたらしい不気味な生きもの」と感じる。性慾は気づいたときにはもう自分の身体《からだ》にあるような「見知らぬ他者」としてしかやってこないからだ。「はじめてのオナニイ」をした自分を「汚れてしまった身体」と感じるのは、文化的に性慾を「汚いもの」として位置づけていたからだ。「ぼく」の問題としては「大人」になることの戸惑いがあるからだ。それでも「ぼく」は性慾を身体で確認することで確実に成長していた。はじめ「自分のからだが、やりきれなく寂しい」と言う彼が、最後に「ひとりきりで、アルプスにゆく」ことができたのは、その何よりの証《あかし》である。成長することは「ひとり」を引き受けることなのだから。

きた・もりお
211頁参照。

続きを読むには……

『北杜夫全集　第1巻』（新潮社）など。

教科書採録度★

キャラメル工場から

佐多稲子

ひろ子はいつものように弟の寝ている布団の裾《すそ》をまくり上げた隙間で、朝飯を食べ始めた。あお黒い小さな顔がまだ眠そうに腫《は》れていた。台所では祖母がお釜を前に、明りにすかすようにして弁当を詰めていた。明けがたの寒さが手を動かしても身体《からだ》中にしみた。どこかで朝の仕度をする音が時たま聞えた。

ひろ子は眉の間を吊りあげてやけに御飯をふうふう吹いていたが、やがて一膳終るとそそくさと立ち上った。

「おや、御飯は」

「おしまい」

ひろ子はもう火鉢の抽出《ひきだ》しから電車賃を出していた。

「おしまいじゃないよ。もう一杯食べといで、まだ遅くなりゃしないから。さあ」

「だって急いで食べられない」……

読みのポイント

昭和三（一九二八）年、『プロレタリア芸術』に発表された佐多稲子のはじめての作品である。級長も務める早熟な文学少女だったが、家が零落して、小学校五年生の時に年を一三歳と偽ってキャラメル工場に働きに出た。その後も苦労して、カフェの女給をしていた時に、一群の作家たちと知り合った。まだ一篇の小説も書いてはいなかったが、中野重治《しげはる》に才能を見いだされて書いたのが『キャラメル工場から』だった。二四歳だった。

工場で酷使される少女たちの様子と小学校へも通えなくなったひろ子の悲しみが心に染《し》みいるような文体で書かれている。工場へ通う朝の様子からはじまるが、「往来は彼女の朝から別の朝へ移っていた」とか「外は研《と》ぎ立ての庖丁のような夜明けの明るさだ」といった表現は、とてもはじめての小説とは思われない。工場長夫人が登場することで貧富の差が際立《きわだ》つが、工場が七時からはじまることに工場労働者の地位の低さが如実《にょじつ》に示されている。当時は、職業ごとにはじまる時間がちがっていたのである。ひろ子に朝の寒さがひときわ身に染みるのは、それが貧しさの証《あかし》でもあったからなのだ。

さた・いねこ
（一九〇四〜一九九八）
長崎市生れ。自身の体験をもとにした「キャラメル工場から」でプロレタリア文学作家として出発する。一九七二年、「樹影」で野間文芸賞を受賞。ほかの作品に「夏の栞《しおり》」「月の宴」など。

続きを読むには……

『新潮日本文学　23』（新潮社）など。

教科書採録度★

戦争と平和

トルストイ　工藤精一郎 訳

「〈ねえ、いかがでございます、公爵《こうしゃく》。ジェノアもルッカも、ボナパルト家の所有《もの》に、領地になってしまったではございませんか。いいえ、わたしあらかじめおことわりしておきますけれど、これが戦争でないなどとおっしゃって、このうえまだあの反キリスト（ほんとに、わたし、あの男は反キリストだと信じておりますのよ）の、あのいまわしい、恐ろしい所業を弁護などなさるようでしたら、――わたしはもうあなたとのおつきあいをおことわりいたしますわよ、あなたはもうわたしの親友でもないし、あなたがつねづねおっしゃるように、わたしのいいいい忠実な下僕《しもべ》でもありませんわよ、よろしゅうございますわね〉。さあ、どうぞ、ようこそいらしてくださいました。〈おやまあ、わたしあなたをびっくりさせてしまったらしゅうございますわね〉。さあ、おかけになって、どうぞお話しくださいませ」

一八〇五年の七月、皇太后マリヤ・フョードロヴナのお気に入りとして……

読みのポイント

帝政ロシアがナポレオンとの何度かの戦いを経てしだいに貴族の時代が終わっていく様を、ピエールとナターシャとの恋で縫い合わせるようにして書かれた大長編小説である。

ロシアの貴族は日常的にフランス語を使っていたし、多くの時間をフランスで過ごした。『戦争と平和』のはじめに置かれた会話も、翻訳によってはフランス語であることがわかるようになっている。フランス文化への憧《あこが》れは強く、ピョートル大帝が建設した都市サンクトペテルブルクは、パリを模したものという説もある。

ロシア革命の理論的支柱の一人・ゲルツェンを主人公としたトム・ストッパードの長大な劇『コースト・オブ・ユートピア』を観《み》て、ロシア革命は何よりも西欧への憧れが原動力となっていたことがわかった。マルクス主義が当時として西欧の最先端の思想でなかったら、ロシア革命はなかったかもしれないとさえ思った。

『戦争と平和』は、旧ソ連が数年をかけて国策映画を作っている。ロシア最後の栄光だったからだ。しかし、もしかしたら帝政ロシアは勝ってはならない戦争に勝ったのかもしれない。

トルストイ　レフ・ニコラエヴィチ
（一八二八〜一九一〇）
ロシアの作家。ルソーを耽読《たんどく》し大学を中退後、暫く放蕩《ほうとう》するが、従軍を機に「幼年時代」等を発表し、賞賛を受ける。ほかの作品に「アンナ・カレーニナ」「復活」など。

続きを読むには……

『戦争と平和』（新潮文庫）など。

教科書採録度★

花の精

上林 暁

その月見草の太い株が、植木屋の若い職人が腰に挟んでゐた剪定鋏で扭《ね》ぢ切られてゐるのを見たとき、私は胸がドキドキして、口が利けなかつた。私は自分の全身から血の引くのがよくわかつた。

私は茫然として、縁側に突立つてゐた。

職人は今し、剪定鋏をふたたび腰に挟み、襯衣《シャツ》のポケットからナイフを取り出すところであつた。切り残つた根株の後浚へをやるのである。その月見草の株は、逞しく蟠つてゐたので、ナイフを当てがつても、なかなか思ふやうに切り取れない。しかし職人は、根株を徹底的に片づけて、もう二度と芽など出させないやうにするつもりらしく、何度も何度もナイフを当てがつて切りさいなむのであつた。彼は、私が大事に大事にしてゐた月見草だとは知らず、只の雑草と思ひ込んで、月見草のまはりに花をつけてゐるあやめの株を生かさうがために切つたものらしく、……

読みのポイント

「私」が語っているからというだけでなく、いかにも「私小説」（「わたくししょうせつ」と読む）という顔立ちをした小説である。植木職人が、「私」が大切にしていた月見草を根元から切ってしまったので、多摩川まで採りに行き、その月見草がみごとに花を咲かせたというだけの話だ。

私小説のポイントは、日々の「つまらない出来事」が書いてあるところだろう。『花の精』も、病を得て入院している妻のこと、自分がいかに月見草に「心を託して」いたかに気づかされたこと、同居している不幸な妹のことなどが書かれている。「私」以外の人間にとってはどうでもいいことばかりだ。しかし、こういう日々の瑣《さ》事《じ》を「小説」という器に書くに値するものだと「発見」したのが近代文学の特徴だった。これは一つの思想である。そしてこの「小説」は、いまここにいない妻の姿を、花開いた月見草に託して「花の精」だと思っているにちがいない「私」の姿がイメージとして浮かび上がってくる。これを「つまらない」と感じるかどうかで、「私小説」の読者になれるかどうかが決まる。

かんばやし・あかつき
（一九〇二〜一九八〇）
高知県生れ。東京帝大英文科卒。改造社に勤務する傍ら、同人誌「風車」を創刊し執筆。「薔薇盗人《ばらぬすびと》」が川端康成に絶賛される。一九六五年、「白い屋形船」で読売文学賞を受賞。ほかの作品に「聖ヨハネ病院にて」「春の坂」など。

続きを読むには……

『上林暁全集三』（筑摩書房）など。

教科書採録度★

プラネタリウム

干刈あがた

家の中には、昨日焼いたクッキーの、バニラ・エッセンスの匂いがまだ漂っていた。久しぶりに取り出した〈スポック博士の育児書〉を本棚の一番上の段に戻すと、彼女は洗面台で手を洗い、鏡にむかって鼻をピクピク動かしてみた。鼻だけを動かすのはむずかしい、顔全体が引きつってしまう、ということを確かめてから、長男シミジミの部屋へ入って行った。

母親によく似た丸顔の十一歳の少年は、ベッドで本を読んでいた。

「もっと明るいところで読みなさい。また〈メタル・メタフィジーク〉読んでるの」

「メタルじゃないよ。メチル。〈メチル・メタフィジーク〉」

「だってそれSFでしょ。SFってメタリックな感じがするけど」

「古い。ロボットSF時代の人」

「物理的と化学的の違いかしら。物的と雰囲気的の違いかな。……

読みのポイント

ベネッセがまだ福武《ふくたけ》書店だった頃、『海燕《かいえん》』という文芸雑誌を刊行していた。『海燕』から巣立った作家には小川洋子、島田雅彦《まさひこ》、吉本ばななど、それまでとはどこか違ったテイストの作家が多かった。干刈あがたもその一人である。

『樹下の家族』、『プラネタリウム』、『ウホッホ探険隊』を、干刈あがたの離婚三部作と呼ぶ。『プラネタリウム』では、父親がいない家庭の母親と長男シミジミと次男ホトホト三人の生活が描かれる。母親はシミジミのチック症を気にし、子供二人は父親を気にしている。シミジミのチック症は彼がわかっている証拠だ。

シミジミがティッシュの箱で作ったプラネタリウムを三人で観《み》る場面で終わる。「アア――／彼女の声が、細い細い糸を引いて、無限の闇の広がりのかなたに消えていった。それは哀しみの声ではなく、ひそかな歓びの声のようでもあった」。批評家ロラン・バルトは、否定するためにはそのことに言及しなければならないと言っている。「歓びの声」と対置された「それは哀しみの声ではなく」という否定辞に込められた万感の思いが読み取れるだろうか。

ひかり・あがた
（一九四三〜一九九二）東京生れ。早稲田大学新聞学科中退。一九八二年、「樹下の家族」で海燕新人文学賞を受賞。一九八五年、「ゆっくり東京女子マラソン」で芸術選奨新人賞を受賞。ほかの作品に「入江の宴《うたげ》」「ホーム・パーティー」など。

続きを読むには……

『ウホッホ探険隊』（朝日文庫）など。

教科書採録度★

星の王子さま

サン＝テグジュペリ　河野万里子 訳

僕が六歳だったときのことだ。『ほんとうにあった話』という原生林のことを書いた本で、すごい絵を見た。猛獣を飲みこもうとしている、大蛇《だいじゃ》ボアの絵だった。再現してみるなら、こんなふうだ。

本には説明もあった。〈ボアはえものをかまずに、まるごと飲みこみます。すると自分も、もう動けなくなり、六か月のあいだ眠って、えものを消化していきます〉

僕は、ジャングルでの冒険についていろんなことを考え、自分でも、色えんぴつではじめて絵を描《か》きあげた。僕の絵第一号だ。こんなふうだった。

この傑作を、僕はおとなたちに見せて、「この絵こわい？」と聞いてみた。

すると答えはこうだった。「どうして帽子がこわいの？」

帽子なんかじゃない。それはゾウを消化している大蛇ボアだったのだ。それで僕は、おとなたちにもわかるように、ボアのなかが見える絵を描いてみた。……

読みのポイント

全世界で百数十という言語に訳され、約五千万部も刊行されて、聖書の次に読まれたとも言われる大ベストセラーである。飛行機事故で不慮の死を遂げたこともあってか、ユーロ以前には、その肖像はフランスのお札にもなっていた。

巻頭の献辞が「レオン・ヴェルトに」から、この「親友」の説明を経て「小さな男の子だったころのレオン・ヴェルトに」と変更されるところにこの童話のすべてが示されている。たとえば、「僕」は「おとなというものは、自分たちだけではけっしてなにもわからないから、子どもはいつもいつも説明しなくてはならず、まったくいやになる……」と言う。ところが、「星の王子さま」はとても小さな星に住んでいたし、彼の言うことなすことがヘンなのだ。それがあまりにヘンなので、大人の方がおかしいかのような感覚にとらわれる。日常がヘンに見えるという意味で、これを異化作用という。

ふつうの大人の世界ではそんなことはあり得ないとわかっていながら、彼をヘンだと感じなかったあの頃に一瞬戻れるかもしれないと、多くの読者は思っただろう。そんな魔術をかけてくれる童話だ。

サン＝テグジュペリ　アントワーヌ・ド
（一九〇〇〜一九四四）
フランスの作家。飛行家としての経験をもとに、「南方郵便機」を執筆。一九三一年、「夜間飛行」でフェミナ賞を受賞。ほかの作品に「人間の土地」「城砦《じょうさい》」など。

続きを読むには……

『星の王子さま』（新潮文庫）など。

編著者の言葉――「汚れっちまった悲しみに」のような

石原千秋

僕は国語の教科書が好きな、たぶんちょっと変わった少年だった。学校で配られたその日に全部読んでしまうのが常だった。副読本として配られた小説集も好きだった。安岡章太郎『宿題』は自分のことが書いてあるようだと思ったし、伊藤左千夫《いとうさちお》『野菊の墓』は涙をポロポロ流しながら読んだ。とても素直だったのかもしれない。しかし、文学の研究者になって国語の教科書を編集し、入試問題の研究をし始めてからはずいぶんちがってきた。

何がちがったのだろう。コンテクスト――教科書とか学校とか、僕が読んだ小説はそういうコンテクストの中にあった。それに気が付かなかったのである。だから素直に感動できたのかもしれないと考えると、少し複雑な気がする。

「ここ」という言葉の使い方がわかるには、たとえ意識していなくとも、「ここ」が「そこ」や「あそこ」と対になっていることを理解していなければならない。どういうコンテクストで「ここ」と言うことができるのかを理解していなければならないということだ。国語の教科書や副読本を楽しんでいた僕は、小説にもそういうコンテクストがあることに気が付かなかったのだと思う。素直とは、そういうことだ。そんな子ども時代を思い出してほしいと思うと同時に、小説はそれだけではないとも思う。

「教科書の読書」から抜け出すにはどうしたらいいのだろう。

ある言葉の意味を変えるには、コンテクストを変えればいい。「馬鹿《ばか》だね」を「好きだよ」に変えるには、恋人を夜の公園に連れ出せばいいわけだ。「人を殺さないで」と呼びかけることが、「死んでこい」という意味になってしまうこともある。それが戦場に向かう兵士であれば。「無事で帰ってきて」と呼びかけるとき、それがどういうことを含意してしまうのか、考えるだけで怖《おそ》ろしい。言葉は必ずあるコンテクストの中で使われる。そのコンテクストを変えれば意味も変わる。どんなに優しい言葉も人を傷つける言葉に変わることがある。人を傷つけない言葉などありはしないことに気づかされる。

見えないコンテクストに気づき、ちがったコンテクストを想像すること、このクリエイティブな力が小説を読む力だ。だから、書かれていないことを「読む」こともできる。クリエイティブな読み方ができるようになるためにはコンテクストをずらせなければならない。または、小説や言葉をちがったコンテクストに置いてみなければならない。その時、それまで気づかなかった細部がざわめき始め、優しい言葉を凶器に変えるかもしれない。——だからクリエイティブであることは怖ろしいことなのだ。たとえば、この本の「読みのポイント」欄で正義や正しさの意味を読み換えたことなどは、そのささやかな試みだった。その試みは、教科書の小説を凶器に変えることだったのだと思う。

学問がもたらした新たな知見が小説の読み方を変えたり、その小説が置かれたコンテクストをよく見えるようにしたりすることもある。

遠藤周作『沈黙』の項目で、こう書いた。

フランスの思想家ミシェル・フーコーは、「近代とは、宗教に代わって政治思想が国家の成立原理となった時代だ」という趣旨のことを言ったが、社会主義国家ソビエト連邦が崩壊してから、再び宗教が国家の成立原理となろうとしているいまの世界情勢を見ていると、これはもう過去の言葉になったと思わざるを得ない。宗教は政治そのものなのである、と——。

宗教が政治そのものとはどういうことだろうか。少し遠回りをしながら説明してみよう。

奴隷制《どれいせい》が産業革命を支え、資本主義の基礎を作ったことは常識である（エリック・ウィリアムズ『資本主義と奴隷制』中山毅《たけし》訳、ちくま学芸文庫、二〇二〇年）。奴隷制度は資本主義をさらに具体化した。奴隷の労働力がまさに人的コストであることを認識させ、会計簿や経営概念を発展させ、資本主義的支配の方法となった（ケイトリン・ローゼンタール『奴隷会計　支配とマネジメント』川添節子訳、みすず書房、二〇二二年）。

では、奴隷がいなくなったとしたら、人類はどうやってコストのかからない労働力を得ようとするだろうか。そのためには、白人とそれ以外を人種という概念で切断すればいい。太平洋戦争は、「真の白人」とは誰かを決める戦争だった。政治体制など関係ない。ホッブズもロックもルソーもカントもみな同じだ。気づかないうちに契約させられた詐欺《さぎ》商法のように、人種契約を結んでしまい、信じ込んでいる（チャールズ・W・ミルズ『人種契約』杉村昌昭《まさあき》・松田正貴《まさたか》訳、法政大学出版局、二〇二二年）。世界はいまようやくそれを可視化しようとしているが、その主体は白人。人道という武器で世界を支配しようとしているようにも見える。とても難しい問題を抱え込んでいる。

こう考えると、佐多稲子『キャラメル工場から』が書かれた意味がよく見えてくる。

同じ人種（というか国民）の中でも差別化が行われ、より低コストの労働力を創《つく》り出していたのである。資本主義はコストがかからない方法を次々にあみ出してきた。それをみごとに暴《あば》いている。その結果、いまや人類こそが絶滅危惧種《ぜつめつきぐしゅ》になっているのではないかという状況を生みだした。

二〇二二年のサッカー・ワールドカップは「メッシ最後のワールドカップ」という物語を持ったアルゼンチンが優勝した。その物語は、もしかしたら対戦相手のフランスも知らず知らず共有してしまっていたのかもしれない。ストーリーが世界の形を決めるのである。そして、いま世界のストーリーテラーはローマ教皇だというのだ（ジョナサン・ゴットシャル『ストーリーが世界を滅ぼす　物語があなたの脳を操作する』月谷真紀訳、東洋経済新報社、二〇二二年）。そうだろう。私たちはそういう「契約」をしているのだ。誰がその時代のストーリーテラーなのか、それに気づくことができるだろうか。

江戸時代初期の日本で、ポルトガルの力を借りて布教活動を行っていたスペインのイエズス会の宣教師やそれを信仰した人々を幕府が弾圧したのは事実だろう。遠藤周作『沈黙』はそれを書いている。しかし、この小説があまりに強烈すぎて、江戸時代はずっとそうだったと思っている人もいる。現在の歴史学は、江戸時代のキリシタンを、「隠れキリシタン」ではなく「潜伏キリシタン」と呼んでいる。彼らは勤勉な働き手だったため、幕府は黙認していたらしいのである（大橋幸泰《ゆきひろ》『潜伏キリシタン 江戸時代の禁教政策と民衆』講談社学芸文庫、二〇一九年）。それに歴史学は、この時期のイエズス会の活動は大きく言えば世界征服の先兵的役割を果たしていたことも明らかにしている（高橋裕史《ひろふみ》『イエズス会の世界戦略』講談社選書メチエ、二〇〇六年）。つまり、宗教は政治なのである。

『アルプスの少女ハイジ』（ヨハンナ・シュピリ、遠山明子《あきこ》訳、光文社古典新訳文庫、二〇二一年）は、無垢《むく》な少女ハイジとスイスの自然に触れて、歩けなかったクララが歩けるようになる物語だが、こう読んだのではこの小説のコンテクストを理解できていないことになる。『アルプスの少女ハイジ』は、キリスト教に関心を持たない自然児（野蛮児？）ハイジがキリスト教を信じる文明人になるまでを書いた、そう言ってよければ、キリスト教布教成功物語なのである。その意味で、文明に抑圧されている少女を書いた佐多稲子『キャラメル工場から』と文明化された少女を書いた『アルプスの少女ハイジ』とは好対照をなしているというか、一対なのである。国語教科書の名作からは、こういう発見もありそうだ。

すべての小説がそうであるように、教科書で出会った名作も何らかの政治的コンテクストの中に置かれている。それをちがったコンテクストに置き換える試みは読者に任されている。そうだとしても、僕は素直だった自分に戻りたいと思いながら、なんと賢《さか》しらなコメントをたくさん書いたのだろう。その賢しらなコメントに小雪の降りかかるきょうの空――。

（二〇二三年二月、早稲田大学教授）

この作品は新潮文庫オリジナルである。

樋口一葉著

にごりえ・たけくらべ

明治の天才女流作家が短い生涯の中で残した名作集。人生への哀歓と美しい夢が織りこまれ、詩情に満ちた香り高い作品8編を収める。

森　鷗外著

山椒大夫《さんしょうだゆう》・高瀬舟

人買いによって引き離された母と姉弟の受難を描いて、犠牲の意味を問う「山椒大夫」、安楽死の問題を見つめた「高瀬舟」等全12編。

芥川龍之介著

蜘蛛《くも》の糸・杜子春《とししゅん》

地獄におちた男がやっとつかんだ一条の救いの糸をエゴイズムのために失ってしまう「蜘蛛の糸」、平凡な幸福を讃えた「杜子春」等10編。

井伏鱒二著

山《さん》椒《しょう》魚《うお》

大きくなりすぎて岩屋の棲家から永久に外へ出られなくなった山椒魚の狼狽をユーモア漂う筆で描く処女作「山椒魚」など初期作品12編。

国木田独歩著

武蔵野

詩情に満ちた自然観察で、武蔵野の林間の美をあまねく知らしめた不朽の名作「武蔵野」など、抒情あふれる初期の名作17編を収録。

梶井基次郎著

檸（れもん）檬

昭和文学史上の奇蹟として高い声価を得ている梶井基次郎の著作から、特異な感覚と内面凝視で青春の不安や焦燥を浄化する20編収録。

夏目漱石著
吾輩は猫である
明治の俗物紳士たちの語る珍談・奇譚、小事件の数かずを、迷いこんで飼われている猫の眼から風刺的に描いた漱石最初の長編小説。

夏目漱石著
坊っちゃん
四国の中学に数学教師として赴任した直情径行の青年が巻きおこす珍騒動。ユーモアと人情の機微にあふれ、広範な愛読者をもつ傑作。

川端康成著
伊豆の踊子
旧制高校生の私は、伊豆で美しい踊子に出会う。彼女との旅の先に待つのは——。若き日の屈託と瑞瑞しい恋を描く表題作など4編。

有島武郎著
小さき者へ・生れ出づる悩み
病死した最愛の妻が残した小さき子らに、歴史の未来をたくそうとする慈愛に満ちた「小さき者へ」に「生れ出づる悩み」を併録する。

井伏鱒二著
黒い雨
野間文芸賞受賞

一瞬の閃光に街は焼けくずれ、放射能の雨の中を人々はさまよい歩く……罪なき広島市民が負った原爆の悲劇の実相を精緻に描く名作。

安部公房著
壁
戦後文学賞・芥川賞受賞

突然、自分の名前を紛失した男。以来彼は他人との接触に支障を来し、人形やラクダに奇妙な友情を抱く。独特の寓意にみちた野心作。

大岡昇平著
俘虜記
横光利一賞受賞

著者の太平洋戦争従軍体験に基づく連作小説。孤独に陥った人間のエゴイズムを凝視して、いわゆる戦争小説とは根本的に異なる作品。

島崎藤村著
夜明け前
（第一部上・下、第二部上・下）

明治維新の理想に燃えた若き日から失意の中に狂死する晩年まで――著者の父をモデルに木曽・馬籠の本陣当主、青山半蔵の生涯を描く。

夏目漱石著
それから

定職も持たず思索の毎日を送る代助と友人の妻との不倫の愛。激変する運命の中で自己を凝視し、愛の真実を貫く知識人の苦悩を描く。

ユゴー
佐藤朔訳
レ・ミゼラブル
（一〜五）

飢えに泣く子供のために一片のパンを盗んだことから始まったジャン・ヴァルジャンの波乱の人生……。人類愛を謳いあげた大長編。

大岡昇平著
野火
読売文学賞受賞

野火の燃えひろがるフィリピンの原野をさまよう田村一等兵。極度の飢えと病魔と闘いながら生きのびた男の、異常な戦争体験を描く。

太宰治著
津軽

著者が故郷の津軽を旅行したときに生れた本書は、旧家に生れた宿命を背負う自分の姿を凝視し、あるいは懐しく回想する異色の一巻。

宮沢賢治著
注文の多い料理店
生前唯一の童話集『注文の多い料理店』全編を中心に土の香り豊かな童話19編を収録。イーハトヴの住人たちとまとめて出会える一巻。

原民喜著
夏の花・心願の国
水上滝太郎賞受賞
被爆直後の終末的世界をとらえた表題作等、美しい散文で人類最初の原爆体験を描き、朝鮮戦争勃発のさなかに自殺した著者の作品集。

堀辰雄著
大和路・信濃路
旅の感動を率直に綴る「大和路」「信濃路」など、堀文学を理解するための重要な鍵であり、その思索と文学的成長を示すエッセイと小品。

宮沢賢治著
新編 銀河鉄道の夜
貧しい少年ジョバンニが銀河鉄道で美しく哀しい夜空の旅をする表題作等、童話13編戯曲1編。絢爛で多彩な作品世界を味わえる一冊。

アンデルセン
天沼春樹訳
アンデルセン傑作集
マッチ売りの少女／人魚姫
あまりの寒さにマッチをともして暖を取ろうとする少女。親から子へと世界中で愛される名作の中からヒロインが活躍する15編を厳選。

遠藤周作著
沈黙
谷崎潤一郎賞受賞
殉教を遂げるキリシタン信徒と棄教を迫られるポルトガル司祭。神の存在、背教の心理、東洋と西洋の思想的断絶等を追求した問題作。

菊池　寛著
藤十郎の恋・恩讐の彼方に
元禄期の名優坂田藤十郎の偽りの恋を描いた「藤十郎の恋」、仇討ちの非人間性をテーマとした「恩讐の彼方に」など初期作品10編を収録。

泉　鏡花著
歌行燈・高野聖
淫心を抱いて近づく男を畜生に変えてしまう美女に出会った、高野の旅僧の幻想的な物語「高野聖」等、独特な旋律が奏でる鏡花の世界。

開高　健著
パニック・裸の王様
芥川賞受賞
大発生したネズミの大群に翻弄される人間社会の恐慌「パニック」、現代社会で圧殺されかかっている生命の救出を描く「裸の王様」等。

野坂昭如著
アメリカひじき・火垂るの墓
直木賞受賞
中年男の意識の底によどむ進駐軍コンプレックスをえぐる「アメリカひじき」など、著者の〝焼跡闇市派〟作家としての原点を示す6編。

北　杜夫著
夜と霧の隅で
芥川賞受賞
ナチスの指令に抵抗して、患者を救うために苦悩する精神科医たちを描き、極限状況下の人間の不安を捉えた表題作など初期作品5編。

トルストイ
工藤精一郎訳
戦争と平和
(一〜四)
ナポレオンのロシア侵攻を歴史背景に、十九世紀初頭の貴族社会と民衆のありさまを生き生きと写して世界文学の最高峰をなす名作。

サン＝テグジュペリ
河野万里子訳

星の王子さま

世界中の言葉に訳され、子どもから大人まで広く読みつがれてきた宝石のような物語。今までで最も愛らしい王子さまを甦らせた新訳。

井上ひさし著

新版 國語元年

十種もの方言が飛び交う南郷家の当主・清之輔が「全国統一話し言葉」制定に励む！ 幾度も舞台化され、なお色褪せぬ傑作喜劇。

重松 清著

カレーライス
―教室で出会った重松清―

いつまでも忘れられない、あの日授業で読んだ物語――。教科書や問題集に掲載された名作九編を収録。言葉と心を育てた作品集。

谷川俊太郎著

さよならは仮のことば
―谷川俊太郎詩集―

代表作「生きる」から隠れた名篇まで。70年にわたって最前線を走り続ける国民的詩人の、珠玉を味わう決定版。新潮文庫オリジナル！

新潮文庫編

文豪ナビ 夏目漱石

先生ったら、超弩級のロマンティストだったのね――現代の感性で文豪の作品に新たな光を当てる、驚きと発見に満ちた新シリーズ。

山本有三著

心に太陽を持て

大科学者ファラデーの少年時代の物語など、人間はどう生きるべきかをやさしく問いかけ、爽やかな感動を与えてくれる世界の逸話集。

新潮ことばの扉

教《きょう》科《か》書《しょ》で出《で》会《あ》った名《めい》作《さく》小《しょう》説《せつ》一〇〇

し－24－4

令和五年四月一日発行

編著者　石《いし》原《はら》千《ち》秋《あき》

発行者　佐藤隆信

発行所　株式会社　新潮社

郵便番号　一六二―八七一一
東京都新宿区矢来町七一
電話　編集部(〇三)三二六六―五四四〇
　　　読者係(〇三)三二六六―五一一一
https://www.shinchosha.co.jp

価格はカバーに表示してあります。

乱丁・落丁本は、ご面倒ですが小社読者係宛ご送付ください。送料小社負担にてお取替えいたします。

印刷・株式会社三秀舎　製本・株式会社植木製本所
Printed in Japan

ISBN978-4-10-127454-6 C0192